有料、有趣、还有范儿的咖啡知识百科

你不懂咖啡

石胁智广 著

江苏凤凰文艺出版社
JIANGSU PHOENIX LITERATURE AND
ART PUBLISHING. LTD

图书在版编目 (CIP) 数据

你不懂咖啡 / (日) 石胁智广著；从研喆译.
— 南京：江苏凤凰文艺出版社，2014
ISBN 978-7-5399-7527-6

Ⅰ．①你… Ⅱ．①石… ②从… Ⅲ．①咖啡—基本知识
Ⅳ．① TS273

中国版本图书馆 CIP 数据核字 (2014) 第 154827 号

版权局著作权登记号：图字 10-2014-287

COFFEE 'KOTSU' NO KAGAKU—COFFEE WO TADASHIKU SHIRU TAME NI
by Tomohiro Ishiwaki
Copyright © 2008 Tomohiro Ishiwaki
All rights reserved.
Original Japanese edition published by Shibata Publishing Co., Ltd., Tokyo.
No part of this book may be reproduced in any form without the written permission
of the publisher.
This Simplified Chinese language edition is published by arrangement with
Shibata Publishing Co., Ltd., Tokyo in care of Tuttle-Mori Agency, Inc., Tokyo
through Beijing GW Culture Communications Co., Ltd., Beijing.

书　　　名	你不懂咖啡
著　　　者	(日) 石胁智广
译　　　者	从研喆
责 任 编 辑	姚　丽
特 约 编 辑	王　澍
策　　　划	快读出版
版　　　权	快读出版
出 版 发 行	凤凰出版传媒股份有限公司
	江苏凤凰文艺出版社
出版社地址	南京市中央路165号，邮编：210009
出版社网址	http:// www.jswenyi.com
经　　　销	凤凰出版传媒股份有限公司
印　　　刷	三河市良远印务有限公司
开　　　本	880×1230 毫米　1/32
印　　　张	5.5
字　　　数	139千字
版　　　次	2014年11月第1版　2017年1月第7次印刷
标 准 书 号	ISBN 978-7-5399-7527-6
定　　　价	32.80元

出现印装、质量问题，请致电010-84775016（免费更换，邮寄到付）

目录

① 了解咖啡的常识 *I*

Q1 咖啡豆是豆子吗？咖啡到底是什么样的植物呢？ 2

Q2 咖啡树的鼻祖是什么？它是以什么样的方式普及的？ 3

Q3 咖啡树是如何生长和结果的？ 6

Q4 哪些国家和地区种植咖啡？ 7

Q5 咖啡的果实和种子是什么样的？ 11

Q6 要经过哪些程序，咖啡果实才能变成一杯真正的咖啡？ 12

【来杯咖啡休息一下】 全世界每天喝掉多少咖啡？各地的喝法不一样吗？ 14

② 了解咖啡的成分 *17*

Q7 生咖啡豆是由哪些成分构成的呢？ 18

Q8 咖啡因对身体有害吗？深度烘焙咖啡豆咖啡因会减少吗？ 21

Q9 一杯咖啡中含多少咖啡因？含量比煎茶和红茶多吗？ 22

Q10 不含咖啡因的咖啡是怎么做成的？ 23

Q11 咖啡中的苦味是什么？ 25

Q12 咖啡中的酸味是什么？ 26

Q13　咖啡果实越成熟，咖啡豆真的会越甜吗？　28

Q14　经过烘焙的咖啡豆，为什么会变成茶色？　28

Q15　烘焙生咖啡豆时会有香味出来，这是为什么呢？　29

Q16　咖啡中含有的绿原酸是什么？　31

Q17　咖啡的味道会随时间变化吗？该如何保持原味？　33

Q18　咖啡豆放久了会有哪些变化？　34

Q19　用矿泉水冲泡的咖啡更好喝吗？　36

【来杯咖啡休息一下】　所谓的遮荫树指的是什么？　37

❸ 如何冲泡出美味的咖啡　39
——咖啡的选购、萃取、研磨、保存

选购方式

Q20　咖啡豆和咖啡粉，买哪一种更好呢？　40

Q21　购买咖啡时，选择店铺的关键是什么？　41

Q22　调制咖啡的器具都有哪些？　43

萃取方式

Q23　如何萃取咖啡的成分？萃取的原理是什么？　46

Q24　咖啡会因为冲泡方法的不同，味道也不同吗？　48

Q25　用滤纸滴漏式的方法冲泡咖啡，要注意什么？　51

Q26　咖啡滤杯有几种类型？各自有什么特点呢？　53

Q27　用哪种滴漏式手冲壶好？为什么要按照"の"的样子倒水？　55

Q28　为什么倒入水后咖啡粉会膨胀？如果没有膨胀，是因为咖啡粉不新鲜吗？　57

Q29　如何试用滤纸滴漏式冲泡出口味稳定的咖啡？　58

Q30　法兰绒滴漏式有什么特点？冲泡诀窍是什么？　60

Q31　法式压力壶的咖啡萃取原理和冲泡诀窍是什么？　62

Q32　虹吸式咖啡壶的萃取方法和冲泡诀窍是什么？　63

Q33　怎么正确使用咖啡机？　66

Q34　清澈透明的咖啡代表味道好吗？　67

Q35　意大利浓咖啡的萃取原理是什么？　68

Q36　在家里也可以冲调出专业的意大利浓咖啡吗？　70

Q37　冰滴咖啡的萃取原理是什么？　71

Q38　冰咖啡怎么做才好喝？　73

研磨方式

Q39　为什么要研磨咖啡豆？怎么区别咖啡粉颗粒大小的种类和使用？　75

Q40　研磨咖啡豆有什么技巧？　75

Q41　咖啡磨都有哪些种类呢？　77

Q42　轧辊式咖啡磨的特点和使用诀窍是什么？　78

Q43　平面刀片式咖啡磨的特点和使用诀窍是什么？　81

Q44　锥形刀片式咖啡磨的特点和使用诀窍是什么？　82

Q45　桨叶式咖啡磨的特点和使用诀窍是什么？　83

Q46　我该买哪一种类型的咖啡磨？　85

保存方式

Q47　怎样才能保存好咖啡？　86

【来杯咖啡休息一下】所谓的咖啡产业的可持续性是什么呢？　87

④ 了解咖啡的加工 89
——生豆的处理、烘焙、混合、包装

生豆的处理方式

Q48 水分越多的生豆，新鲜度越高吗？颜色越绿的生豆，新鲜度越高吗？ 90

Q49 咖啡生豆有的色泽亮丽，有的色泽暗淡，对味道有影响吗？ 91

Q50 所谓新豆、老豆的豆子是怎样的？ 92

Q51 生咖啡豆真的需要清洗吗？ 93

Q52 生咖啡豆能够长期保存吗？保存的诀窍是什么？ 95

Q53 哪里可以买到生咖啡豆？购买时要注意什么？ 96

烘焙

Q54 咖啡从来都是烘焙后饮用的吗？聊一聊咖啡豆的烘焙史吧。 97

Q55 咖啡豆有哪些烘焙程度？烘焙程度不同会让味道产生怎样的变化？ 98

Q56 烘焙机是什么样的机器？ 100

Q57 烘焙机有几种类型？各自的构造是什么样的？ 103

Q58 豆子在烘焙机里是怎么加热的？ 104

Q59 烘焙中的豆子会发生什么变化？一次爆、二次爆指的是什么？ 107

Q60 烘焙咖啡豆有哪些注意要点？ 107

Q61 烘焙机的热源有哪些种类？各自的特点是什么？ 109

Q62 炭火烘焙的方法与特点是什么？ 110

Q63 怎样选择烘焙机？ 111

Q64 让烘焙水平保持稳定的技巧是什么？ 112

Q65 产地不同，烘焙时豆子着色的方法也不同吗？ 113

Q66 为什么烘焙过的豆子表面会有油脂？ 115

Q67 为什么烘焙过的豆子表面有褶皱？   116

Q68 家庭式的烘焙方法与诀窍是什么？   117

混合

Q69 为什么有人会把不同种类的咖啡豆混合到一起？   119

Q70 我对混合方法很困惑，"烘焙前混合"与"烘焙后混合"各自的特点是什么呢？   121

Q71 混合式咖啡用"烘焙后混合"的方法制作，味道更香浓吗？   122

Q72 混合式咖啡的命名规则是什么？   123

包装

Q73 咖啡的食用期限是怎么规定的？   125

Q74 咖啡有哪些包装方法？各自的特点是什么？   126

Q75 什么材质最适合包装咖啡？   128

Q76 将刚刚烘焙好的咖啡豆直接密封，为什么袋子会胀得鼓鼓的？   129

【来杯咖啡休息一下】 所谓的"精品咖啡"与"优质咖啡"指的是什么？   131

5 想要了解更多咖啡知识   *133*
——栽培·精选·流通·品种

Q77 栽培咖啡的时候，能够使用农药吗？   134

Q78 有机咖啡的评判标准是什么？它一定更好喝吗？   135

Q79 咖啡果是怎么变成咖啡豆的？   136

Q80 谁都能够从事咖啡的生产吗？   138

Q81 咖啡的价格是如何制定的？   139

Q82 生咖啡豆是怎么运输的？   140

Q83 进口的生咖啡豆中会掺杂劣质豆和异物吗？　142

Q84 阿拉比卡种里包含哪些品种？　144

Q85 卡内弗拉种里包含哪些品种？　147

Q86 所谓咖啡的"杂交"指的是什么呢？　149

Q87 咖啡还是传统品种的味道更好吧？　151

参考文献　152

后记　154

名词解释　156

① 了解咖啡的常识

Q1 咖啡豆是豆子吗？咖啡到底是什么样的植物呢？

咖啡豆是将咖啡树果实中的种子烘焙而得的。

咖啡树隶属于被子植物门双子叶植物纲茜草目茜草科中的咖啡属。而咖啡属的树种约有 70 多种，其中主要用于商业用途的只有阿拉比卡（Arabica）和卡内弗拉（Canephora）两种。即使是这两种中的卡内弗拉种（Canephora），很多人也不是很熟悉。卡内弗拉种一般被人称之为罗布斯塔种（Robusta），其实，罗布斯塔种仅仅是卡内弗拉种中的一个分支，因为广为人知，所以罗布斯塔种渐渐成为了卡内弗拉种的代名词。

阿拉比卡种占目前咖啡产值的 65%，有铁皮卡 (Typica)、波旁（Bourbon）等众多品种。虽然此品种拥有广受好评的味道，但是却也有易染病害的弱点。摩卡（Moca）、乞力马扎罗（Kilimajaro）、蓝山等都是消费者非常喜爱的阿拉比卡种咖啡中的名牌品种。（参照 Q72）

● 咖啡树的植物学分类

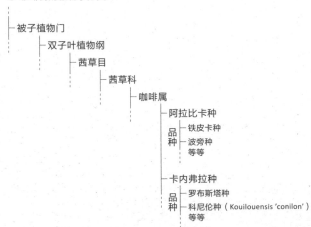

卡内弗拉种占目前咖啡产值中的 35%，它的特点是有独特的大麦茶香和比较重的苦味，同时又有较强的抗病性。在 1900 年阿拉比卡种遭受了严重病害时，卡内弗拉种得到了广泛的普及。

除了以上两大品种外，还有利比里卡种（Liberica）等产地在亚洲和西非的品种，这些仅占目前咖啡产值中的 1%~2%。

剩下的 60 多种咖啡树就完全没有商业用途了吗？对于这一点，现阶段我们还不能给出一个肯定的答复。近年来，由于各种生物技术突飞猛进的发展，使我们相信在不远的将来，其他品种的咖啡树也能够有更多的商业用途。

Q2 咖啡树的鼻祖是什么？它是以什么样的方式普及的？

不同种子的咖啡树鼻祖、传播路径各不相同。

阿拉比卡种（Arabica）的咖啡豆，最早生长在埃塞俄比亚。在公元 6~9 世纪，作为饮品的咖啡豆的原材料被人们带到了也门，但那时也仅仅是种子运输。而到了 1699 年，荷兰的东印度公司才将运到印度尼西亚爪哇岛上的种子栽培成功。从这些咖啡种子里培育出的咖啡树，在 1706 年又被人们从爪哇岛运送到阿姆斯特丹的植物园进行栽培。之后，在 1713 年，这些种子被培育出的幼苗，又被送给了法国的路易十四。这便是中南美咖啡的起源。

公元 1720 年左右，一位叫克利的法国军官将咖啡树苗从巴黎的植物园带到了他上任的马提尼克岛（Matinique），并将这些历经航海苦难的咖啡树苗栽培成功。从此开始，咖啡树便在加勒比海各

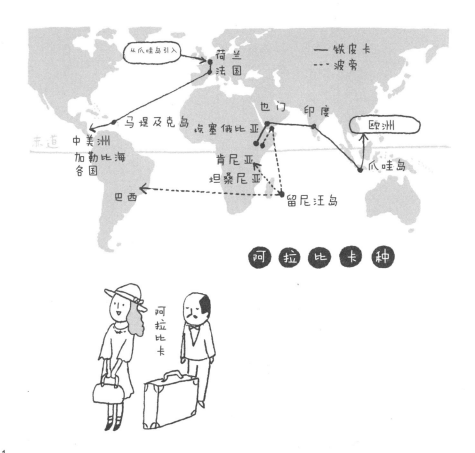

国乃至中南美各国广泛传播开来，以这条路径传播开的咖啡豆品
种便是铁皮卡（Typica）咖啡豆了。我在 2006 年参观了巴黎和阿
姆斯特丹的植物园，但最早那个时代的咖啡树已经没有了，阿姆
斯特丹植物园的研究人员告诉我，在马提尼克岛上可能还有那个
树种。

　　据说，阿拉比卡种的咖啡传播途径还有一个，是在 1717 年被法国
人从爪哇岛带到了波旁岛（现在的留尼汪岛），这些阿拉比卡种在当地
发生了基因突变。这些突变的种子又被移植到了旧时英殖民地的非洲

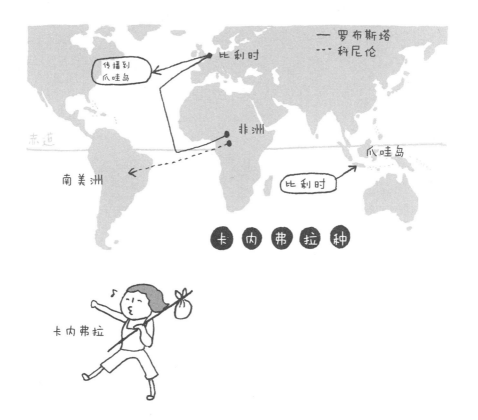

（现在的肯尼亚、坦桑尼亚），之后又被带到了中南美洲。通过这个路径被广泛传播的品种，就是古老的波旁咖啡豆了。

　　卡内弗拉种（Canephora）的历史较浅，进入 19 世纪后，在维多利湖（横跨肯尼亚、坦桑尼亚、乌干达的非洲最大的淡水湖）西边被发现。1860 年到 1880 年间，由于阿拉比卡种遭受到严重病害，而卡内弗拉种的抗病能力较强，使得后者受到人们广泛的好评。在这之后，它得到了快速的引进、推广和种植。1898 年，人们把它从英国的皇家植物园（邱园）传播到了新加坡、特立尼达。从那时开始，卡内弗拉种就遍布了各个热带地区，1900 年，又由比利时引入了爪哇岛。

Q3 咖啡树是如何生长和结果的?

在苗床中培育一段时间之后,生长较好的幼苗就会被移植到种植园中。为了让幼苗能够茁壮成长,要及时地给它浇水、施肥与除草。另外,还需要防治病虫害。

经过这些程序的培育,生长了 3 年的咖啡树才到一年一开花的阶段。旱季过后的雨天,就是花开的信号,到那时咖啡的花朵会一起盛开,原本绿色的种植园会变成一片白色的、散发着诱人香味的花的海洋。

咖啡树的花期非常短,这些美丽的花在 3 天左右就会枯萎,1 周就会凋零,之后会留下小小的果实。阿拉比卡种的咖啡花,雌蕊和雄蕊都在同一朵花中,所以即使不借助风力或昆虫的帮助,也能够受精并结出果实。最初的时候果实是小小的、青色的,随着果实一天天成熟、慢慢变大,颜色也变成了红色(由于品种不同,也有的果实是黄色的)。然后就迎来了我们期盼已久的收获季节了。

种植园的人们会对收获后的土地进行施肥、修剪等整理,为来年咖啡豆的收获做准备。人们将咖啡豆从果实中取出后,会把剩下的果肉用作肥料。为了做出品质稳定、质量上乘的好咖啡,农夫们需要辛勤地工作。

咖啡树的树龄有多长?如果每年都要结很多果实,那么它的寿命也就只有十几年,到期就需要种植新的咖啡树;如果没有大量结果,那么咖啡树的寿命大概可以持续几十年。我见过的生长最久的咖啡树,树龄长达 70 年,据说,世界上还存在着百年树龄的咖啡树。就像人类一样,有的咖啡树一生短暂而旺盛,有的一生平凡而长久。

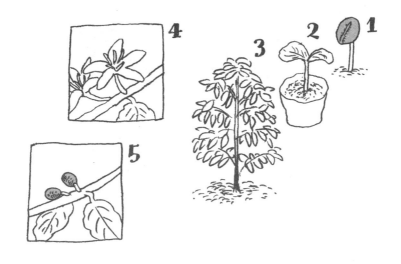

Q4 哪些国家和地区种植咖啡？

由于咖啡树是热带植物，所以需要种植在温暖的地方。主要的种植区域分布在以赤道为中心的南纬 25°与北纬 25°之间，因此这个区域又被称为"咖啡带"。不过，即便是在咖啡带里，阿拉比卡种与卡内弗拉种也不会分布在完全一样的区域，而是各自在更适合自己生长的环境中成长着。

相对怕冷的卡内弗拉种总是被种在低地，而怕热的阿拉比卡种则大多被栽种到了高地。如果远离赤道、又在高地的话，温度就会下降。所以即便是同一个品种，如果远离赤道种植就需要选择海拔较低的地区，这是种植者都知道的常识。如果栽种到温度低的地方，收获期就有变长的趋势。如果咖啡豆被种植到海拔落差大的地域或南北走向的地域，那么咖啡豆的收获期也有变长的趋势。

卡内弗拉种要比阿拉比卡种的咖啡树培育起来容易些。虽然和阿拉比卡种相比，卡内弗拉种的抗干旱能力比较差，但是它对于土壤的要求低，什么样的土地都可以培育成功，有些土地种不活阿拉比卡种，但是却可以种植卡内弗拉种。

　　而阿拉比卡种则需要选择土壤才能种植。不仅需要排水性好的、让根部充分生长的蓬松土质，而且还需要肥沃的酸性土壤，从栽培上来说，地域的限定性很强。所以，有的咖啡种植者会先在不适合阿拉比卡种生长的土壤中先种植卡内弗拉种，然后再将阿拉比卡种嫁接到卡内弗拉种的主干上培育。

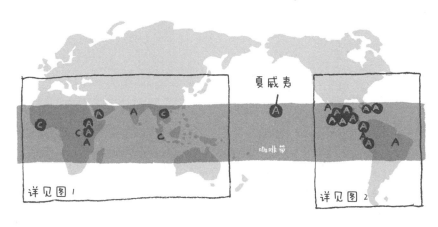

夏威夷

咖啡带

详见图1　　　　　　　　详见图2

生产种

Ⓐ 阿拉比卡种

Ⓒ 卡内弗拉种

A 主要为阿拉比卡种
C 主要为卡内弗拉种

耐热强的『卡内弗拉小姐』

◉ 无论在什么土地上都能生长

◉ 不喜欢寒冷和干燥

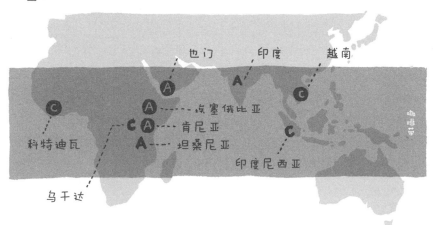

图1

也门　印度　越南

埃塞俄比亚

肯尼亚

坦桑尼亚

印度尼西亚

科特迪瓦

乌干达

生产种

Ⓐ 阿拉比卡种

Ⓒ 卡内弗拉种

A 主要为阿拉比卡种

C 主要为卡内弗拉种

即使在远离咖啡带的日本，也是可以种植咖啡树的。实际上，早在明治初期，日本小笠原群岛上的人们就曾经尝试栽培过咖啡树，时至今日，那里仍然有小规模的生产。另外，在冲绳等地也有商业用的咖啡豆生产。如果使用温室栽培，那么即使在本州岛也可以种植咖啡树。我曾经亲自种植过数株咖啡树，经过3年的精心培育，感受到了那种似乎只能在原产地才能闻到的茉莉般的花香。当然，一株咖啡树可以收获数杯咖啡用的果实，但是味道却没有那样香浓。这也使我亲身感受到，只有在适当的地方，经过精心的培育和严格的筛选，才能种植出品质优良的咖啡豆。

图2

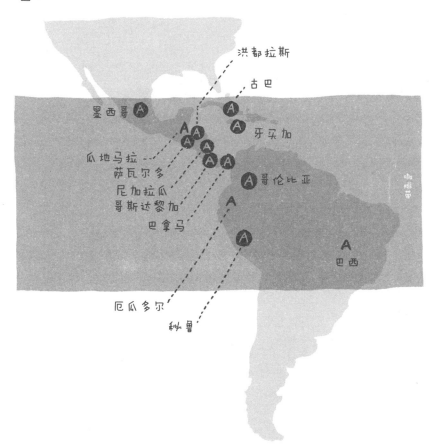

洪都拉斯

古巴

墨西哥Ⓐ

Ⓐ

Ⓐ 牙买加

瓜地马拉

Ⓐ
Ⓐ
Ⓐ

萨瓦尔多

尼加拉瓜
哥斯达黎加

Ⓐ
Ⓐ

巴拿马

Ⓐ 哥伦比亚

A

Ⓐ

A
巴西

厄瓜多尔

秘鲁

生产种

Ⓐ 阿拉比卡种

A 卡内弗拉种

既怕冷又怕热的
「阿拉比卡小姐」

◉ 味道是好，但却是
一位不能受热也不
能受寒的娇小姐

◉ 喜欢住在有别
墅的凉爽地方

Q5 咖啡的果实和种子是什么样的?

咖啡的果实（coffee cherries）是椭圆形的，咖啡花脱落后，果实只有火柴头般大小，经过 6~8 个月的生长才会慢慢变大。根据栽培环境和品种的不同，收获时咖啡果的大小也不一样。如果是阿拉比卡种，果实会有 1.5~2cm 的大小，横截面直径会在 1~1.5cm；卡内弗拉种的果实要比阿拉比卡种的略小一些。

果实成熟的过程，就是颜色变红的过程（根据品种的不同，有的果实是黄色的）。果实全熟的时候，果肉就会变得非常松软。咖啡果的肉质并不厚，但味道却比较甜，在收获的季节，经常能看到前来帮忙的孩子们将果实塞到嘴里吃的情景。

剥掉果肉后，会看到种子上有一层薄薄的皮，这就是咖啡豆的内果皮，而包着内果皮的种子又叫作"羊皮纸咖啡豆"。在内果皮表面还附着一层粘粘的物质，这层黏质物就叫作果胶。想要将咖啡豆取出，就要将果肉、果胶、内果皮都去掉才行。

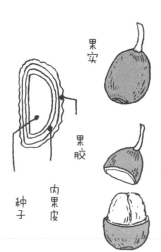

果实

果胶

内果皮

种子

咖啡豆基本上都是两个一起对着生长的。所以咖啡豆会有一面是平的。这种有一面是平面的咖啡豆，我们叫它"平豆"。

还有一些咖啡果里只生长了一枚种子（占总数的 5%~20%），这是由于受粉或环境因素造成的，导致了一侧的种子生长严重恶化，看起来圆圆的（这种情况下，另一侧的种子不会产生），这种圆形的咖啡豆，我们叫它"圆豆"。

在咖啡豆分选工序中（区分大小、

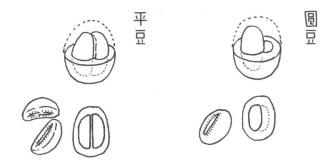

平豆　　　　　　　　　圆豆

挑出质量不好的咖啡豆的工序），要将"圆豆"从"平豆"中挑选出来。由于咖啡圆豆的数量稀少，所以要和习以为常的咖啡平豆区别销售。巴西、蓝山等地的咖啡圆豆非常有名，比咖啡平豆售卖的价格高。但对于农户来说，本来一个果实里应该结两个咖啡豆，结果却只长了一个，这样就会大大影响咖啡豆的产量，所以这也不是什么令人高兴的事情哦。

Q6 要经过哪些程序，咖啡果实才能变成一杯真正的咖啡？

一杯普通的咖啡，里面却包含了很多道工序和无数人的辛劳。

首先，人们要从收获的咖啡果实里取出种子，进行"咖啡生豆"的加工，这道工序我们叫"精选"。在"精选"工序中，要将果肉、内果皮去除掉，这样的工序我们叫"精制"。在此之后，要将咖啡豆做大小的归类，挑出品质差的豆子，这道工序我们叫"分选"。经过这些工序制作出的咖啡生豆，会被密封到袋子里，出口到咖啡消费国。

进口的咖啡生豆，会由专业人士对其进行"烘焙""混合"。这些专业人士就是"烘焙师"，加工好的咖啡豆就是"烘焙豆"。

经过烘焙的咖啡豆，就达到了可以饮用的初级状态了。在市面上，有的商家会直接将"烘焙豆"卖给消费者，也有的会将其研成粉末，制成"咖啡粉"卖给消费者。将咖啡豆磨成粉末（粉碎机）的机器，就是"咖啡磨"。

将买来或自己磨的咖啡粉放入"萃取器具"中，倒入开水，一杯咖啡就冲好了。咖啡冲泡的工序叫作"萃取"，主要的萃取器具有"滤纸滴漏式""法兰绒滴漏式""法式压力壶式""虹吸式"等。

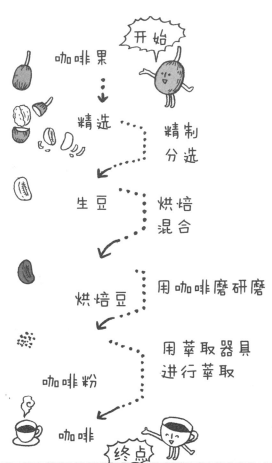

开始

咖啡果

精选 ⋯⋯ 精制分选

生豆 ⋯⋯ 烘焙混合

烘焙豆 ⋯⋯ 用咖啡磨研磨

咖啡粉 ⋯⋯ 用萃取器具进行萃取

咖啡

终点

全世界每天喝掉多少咖啡？
各地的喝法不一样吗？

据 ICO（国际咖啡组织）2007 年的统计，进口咖啡量最大的国家是美国，进口量是日本的近 3 倍，居第 2 位的是德国，日本位居第 3 位；如果把出口国也算在内，按照咖啡消耗量进行统计的话，巴西居第 2 位，而日本排到了第 4 位；如果按照人均消费量进行排名，芬兰、挪威、比利时－卢森堡、丹麦等的排位就会提前，日本的人均消费量只达到芬兰人的 1/4，连 Top10 都进不了，也就是人均每天不到一杯。这是按照理想的消费状况进行统计的，市场的变化会对消费量产生一定的影响。

●年度进口量前 5 名

第一	美国	1426440t
第二	德国	1112460t
第三	日本	457920t
第四	意大利	456000t
第五	法国	384060t

●年度消费量前 5 名

第一	美国	1217940t
第二	巴西	960000t
第三	德国	515040t
第四	日本	436080t
第五	意大利	328320t

●年度人均消费量前 5 名

第一	芬兰	12.04kg
第二	挪威	9.65kg
第三	比利时－卢森堡	9.38kg
第四	丹麦	9.21kg
第五	瑞士	9.14kg

ICO（International coffee organization）2007 年度统计

咖啡的饮用方法，世界各地各有不同。在咖啡的发祥地埃塞俄比亚，有着类似于日本茶道的"咖啡仪式"这样的传统文化习俗。在北欧，人们只饮用咖啡煮好后上面澄清的部分。

不仅是咖啡的种子可以食用，在也门和埃塞俄比亚，有人会将干燥的果肉煎煮饮用，还有人会将叶子进行煎煮，作为茶饮用。这两种饮用方法我在当地都品尝过，这些饮品的味道，可是和我们平时喝的咖啡大不一样哦。

在日本，家庭饮用咖啡的现象很普遍，主流的咖啡萃取的方法是滴漏式。而这种方法一般也是家庭冲泡咖啡的理想方法之一。但是我个人非常希望，咖啡店能够重新兴旺起来，我常常回忆起70年代，那时的咖啡店很兴旺，可当时的社会总是把咖啡店当成教坏年轻人的不良场所。现在，我们的咖啡店数量只有当时的一半，所以那个年代的氛围现在很难再找到了。

❷ 了解咖啡的成分

Q7 生咖啡豆是由哪些成分构成的呢？

咖啡生豆中，水分占了 9%~13%，水分对咖啡豆的香味几乎没有什么影响。在后面，我会介绍各种成分的含量（按照干燥后生豆的状态计算出的）。在这些成分的占有率发生变化时，咖啡豆的风味也会发生很大的变化。

多糖类

生豆中含量最大的成分就是多糖类，占 35%~45%。虽然被称之为糖，但是一点都不甜，这里的多糖类指的是构成植物骨骼的纤维等。阿拉比卡种与卡内弗拉种的多糖类含量很不一样。

蛋白质

蛋白质的含量是 12%。蛋白质和多糖类都是构成植物骨骼的重要成分。在这方面，阿拉比卡种与卡内弗拉种的含量也有非常大的不同。

脂肪

咖啡生豆是含有脂肪的，咖啡豆中的脂肪是由亚油酸、棕榈酸等构成的。从油脂的含量上来看，阿拉比卡种的脂肪含有量较高，占到 20%，而卡内弗拉种的脂肪成分最多也就占到 10%。

低聚糖类（蔗糖）

蔗糖（这里指砂糖）的含量，阿拉比卡种可占到 10%，卡内弗拉种占到 3%~7%。

绿原酸

绿原酸类的含量，阿拉比卡种占5%~8%，卡内弗拉种占7%~11%。绿原酸的种类非常多，有些种类的绿原酸只有卡内弗拉种中才有。

酸类（绿原酸以外）

除了绿原酸外，还有柠檬酸、苹果酸、奎尼酸、磷酸等，这些一共才占到2%。

咖啡因

咖啡因，在阿拉比卡种中占到0.9%~1.4%；在卡内弗拉种里通常占到2%，多的时候会超过3%。

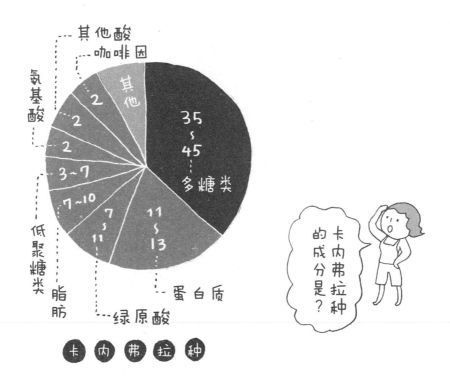

氨基酸

氨基酸的含量是 1%~2%。咖啡豆中含有的氨基酸包括天门冬氨酸、谷氨酸等。在阿拉比卡种与卡内弗拉种中，各种氨基酸的占比各有不同。这些氨基酸、低聚糖类、绿原酸的含量，也影响着阿拉比卡种与卡内弗拉种在烘焙时的着色与风味。

根据产地、栽培环境（海拔、降水量、气温、施肥量）还有精选方法的不同，这些成分的含量也会有差异。我们喝咖啡时感受到的不同风味，就是由于这些成分的比例不同造成的。

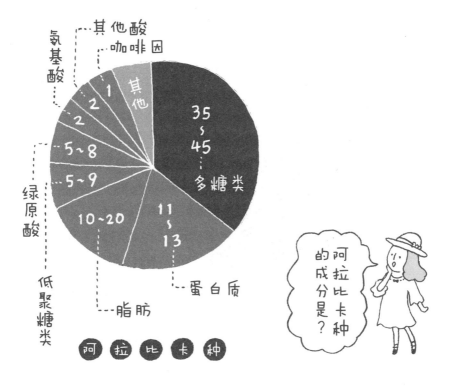

Q8 咖啡因对身体有害吗？ 深度烘焙咖啡豆 咖啡因会减少吗？

咖啡因是咖啡中的代表成分。如果咖啡中不含咖啡因，咖啡可能就不会像今天这么流行了吧？咖啡因所具备的药理作用，也是咖啡的一大魅力哦。

咖啡因的得名，要从 1820 年说起。那一年，德国化学家弗里德里希·费迪南·龙格从咖啡豆中成功提取了咖啡因，而在此后的数年，他又从茶叶中提取出了相同的成分，当时还把这种成分命名为"茶因"，随后，这不同由来的成分被统一命名为"咖啡因"。试想，如果龙格的实验晚几年才成功，我们可能就会把"咖啡因"叫成"茶因"了吧。有关咖啡因，还有这样一段佳话——一直催促着龙格积极从事咖啡研究的，正是大文豪、科学家兼咖啡爱好者歌德。

卡内弗拉种中的咖啡因含量比阿拉比卡种多。虽然咖啡因这种成分耐热性强，但是在烘焙过程中还是会汽化掉一部分。从事咖啡烘焙工作的人们一定对烘焙机内部以及烟囱处的白色附着物有印象吧，那些白色的物质就是咖啡因。

由于咖啡因会在烘焙的过程中逐渐减少，所以民间流传着"深度烘焙的咖啡豆中，咖啡因含量低，所以对更健康"的说法，而事实上，这里存在着两种误解。

第一种误解是"深度烘焙的咖啡豆中，咖啡因含量低"。事实上，咖啡因的确会因为烘焙而减少，但是咖啡豆自身的重量也会随着烘焙而减少。例如，烘焙后咖啡豆的重量减少 15%，咖啡因也减少了 15%。其结果就是，无论深度烘焙还是轻度烘焙，咖啡因的含量是不变的，所以如果使用同样的量冲泡咖啡，咖啡因的量也是不变的。

第二种误解是"咖啡因含量低，所以对健康更好"。咖啡因有很多药理作用，对于处于妊娠期或胃不好的人，最好要控制一下咖啡的摄取量。但只要适度摄入咖啡，就能很好地解除疲劳、恢复精力。

Q9 一杯咖啡中含多少咖啡因？含量比煎茶和红茶多吗？

咖啡或茶都是嗜好饮品，因为每个人的冲泡方法和喜好程度不同，所以冲泡浓度的差异非常大。如果按照市面上销售的咖啡包装袋上的方法进行冲泡，那么，120cc 的咖啡中一般会含有 60~100mg 的咖啡因。这与一杯意式浓咖啡（30cc）中的咖啡因含量相同。如果是茶，日本煎茶（120cc）中含有 20mg 的咖啡因，红茶（120cc）中含有 30mg 的咖啡因，与茶相比，的确是咖啡中的咖啡因含量更高。

但是，到底要摄取多少咖啡因，才算对身体有危害呢？根据个人的体质、身体状况以及体重的不同，结论是不一样的，只要不是一次喝五六杯，一般不用太在意。

就我个人来看，咖啡仅仅是一种嗜好饮品。只要喝着好喝、心情愉快便可以了。但如果因为身体好就毫无节制地喝，或因为身体不好就完全拒绝饮用，这样就未免太"难为咖啡"了吧。

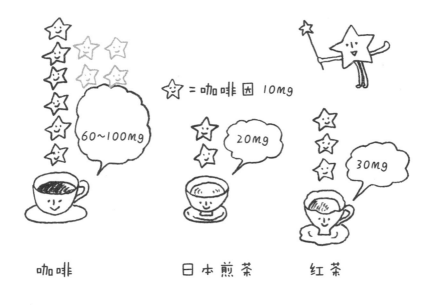

星 ＝ 咖啡因 10mg

60～100mg

20mg

30mg

咖啡　　　　　日本煎茶　　　红茶

Q10　不含咖啡因的咖啡是怎么做成的?

去除了 90% 以上含量的咖啡因的咖啡，被称为"低咖啡因咖啡"，简言之就是"低因咖啡"。

以前为了去除咖啡因，人们一般都会借助一种有机溶剂，但由于有机溶剂会残存在咖啡豆中，容易致癌，所以目前日本已经禁止使用了。现在，人们去除咖啡因的手段主要有两种——水处理和二氧化碳处理。

水是我们日常生活中经常接触到的物质，大家对水都比较放心。但咖啡因是不易溶于水的，所以想将咖啡因溶解到水中，就有一定的难度了。再加上氨基酸、糖类、绿原酸等这些构成咖啡风味的成分又极易溶解于水，于是问题就产生了——咖啡因还没去除，这些成分就会先于咖啡因溶解于水中。

我们先说说"瑞士水处理法"（Swiss Water Method）。就是先将生豆中咖啡因以外的水溶性成分充分溶解于水，直至饱和状态。再将咖啡生豆浸泡于处理过的水里，这样，即使是易溶于水的氨基酸、糖类、绿原酸，也会因水中的成分已经饱和而无法溶解到水中，又因为水里不含咖啡因，所以咖啡因就会从生豆中溶解到水中。但是，咖啡因不会一下子都溶解掉，所以该步骤要反复进行，将咖啡因一点点从生豆中去除。溶解了咖啡因的水，只要用活性炭过滤一下，就能将咖啡因去掉，还可以再次使用。这是一种既可以去除咖啡因、又不会损害生豆成分的好方法。

第二种方法是二氧化碳处理，就是通过对压力与温度的调整，使咖啡因高效地从生豆中去除。在通常状态下二氧化碳是气体，但如果对其施加压力，它就会出现拥有气液两特质的状态（"超临界状态"）或液态。这种方法的咖啡因去除率很高，不过，虽然"瑞士水处理法"去除法效率相对较低，但可以更完整地保留咖啡风味的成分。

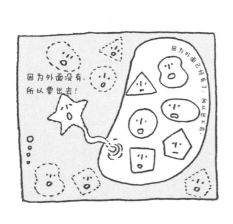

Q11 咖啡中的苦味是什么?

大家都以为,造成咖啡味道苦的原因是咖啡因,但实际上,咖啡因只占苦味成分的 10%。前面我们说过,烘焙豆中的咖啡因浓度不会受烘焙程度的影响,而且,低因咖啡也有苦味,因此我们可以肯定,咖啡因不是造成苦味的全部原因。那么剩下的 90% 的苦味,又是什么东西呢?

咖啡苦味的根源之一就是褐色色素(在后面的 Q14 中,我会着重讲解一下)。根据分子大小不同,褐色色素也有大致的分类,大分子褐色色素的苦味更强。随着烘焙程度的加深,褐色色素的量会增加,大分子褐色色素的比例也会增加。所以,深度烘焙的咖啡豆的苦味和质感更强——这就与我们日常的印象一致了吧。

阿拉比卡种与卡内弗拉种的苦味与质感是不同的,这是由褐色色素的量与分子大小的不同而引起的。由于卡内弗拉种的低聚糖类含量比阿拉比卡种低,不易发生"焦糖化",所以容易形成大分子褐色色素,所以烘焙后的卡内弗拉种更苦。

造成苦味的原因还有一个,就是氨基酸与蛋白质在加热后形成的"环缩二氨酸",如果形成的分子结构不同,那么苦味的程度也不相同。除了咖啡之外,同样味苦的可可、黑啤中也有这类成分。

我们可以人为地控制苦味的程度吗?答案当然是肯定的。我们可以通过改变咖啡豆的种类、烘焙程度、烘焙方法来控制苦味,另外,改变萃取方法在一定程度上也可以控制咖啡的苦味。

Q12 咖啡中的酸味是什么？

咖啡生豆中含有的酸味成分有柠檬酸、苹果酸、奎宁酸、磷酸等，但这却不是我们喝咖啡时所感受到的酸味。我们尝到的酸味，主要来自烘焙过程中产生的酸。

在烘焙咖啡生豆时，豆子中的某些成分会发生化学反应，形成新的酸。比较有代表性的例子是，绿原酸分解后生成奎尼酸，低聚糖类分解后生成有挥发性的甲酸和醋酸。

在烘焙中，咖啡生豆会发生许多化学变化，特别在烘焙到一半（比市面上卖的轻度烘焙的程度还要低些）时，随着烘焙程度的加深，酸味会越来越强。但是在这之后经过高温处理，形成的酸又开始分解。过了这个阶段，随着烘焙程度的加深，酸味也就越来越淡了。

烘焙豆中含有最多的酸，是随着烘焙加深而增加的奎宁酸。它不仅含量高，而且酸味的强度也大，是咖啡酸味的主要来源。其他如柠檬酸、醋酸、苹果酸在咖啡中的含量也比较高。各种酸的强度与性质不一样，虽然都是酸味，但其实成分很复杂。

烘焙豆中含有酸味成分的重量与比率，与咖啡豆本身的组成有很大关系，选择什么样的原料，酸味释放的方式也会有所不同。例如，卡内弗拉种里易于形成醋酸的低聚糖类含量低，所以就不会形成有挥发性的刺激的酸味。

另外，根据状态不同，酸味释放的方式也不一样。奎宁酸中有一种物质，既能将酸味发散出来，也能将酸味隐藏起来。冲好的咖啡为什么会越来越酸，就是因为本来藏起来的酸味，随着时间慢慢地发散了出来。

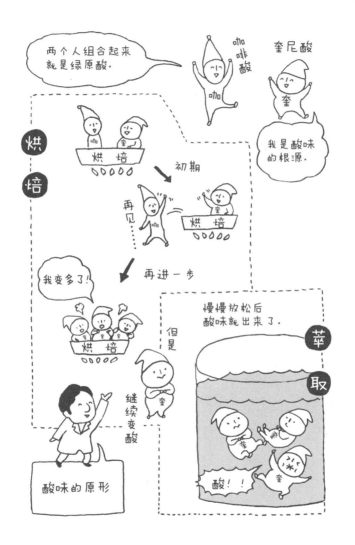

Q13 咖啡果实越成熟，咖啡豆真的会越甜吗?

"用熟透的咖啡果种子制成的咖啡豆（全熟豆）是甜的。"——不管在消费国还是原产地，有很多人都这么认为。还有人认为"由于全熟豆中的糖分很高，所以冲好的咖啡才会发甜"，其实这两个说法都是错误的。

确实，咖啡生豆中的蔗糖含量会随着果实的逐渐成熟而增多，因此，如果之前那个说法指的是生豆子，那就是正确的；但如果换成烘焙过的咖啡豆，那就是错误的。为什么呢？因为咖啡生豆中含有的蔗糖会随着烘焙而消失。蔗糖经过烘焙，会形成咖啡的颜色、香味、酸味的来源。事实上，果实的成熟度越高，烘焙时就越容易着色，也就越容易形成香味与酸味丰富的咖啡。即便说蔗糖带来了甜味，也是指焦糖的甜香气息，而非口感意义上的甜味。

但是，我们喝咖啡时尝到的甜味，又是从哪来的呢？这个对我来说是个谜。烘焙豆中有与甜味相关的成分吗？我查阅了很多海外文献，答案现在还不得而知。虽然说日本关于咖啡的研究很少，但是全世界每个月都有数十本与咖啡相关的论文发表，在那些论文中也未曾出现过答案。阅读了成千上万的海外文献后，我忽然间发觉，好像从没发现过"咖啡是甜的"这样的报道。

Q14 经过烘焙的咖啡豆，为什么会变成茶色?

咖啡生豆的颜色是淡绿色，烘焙之后就变成了茶色。烘焙豆独有的茶色是以低聚糖类、氨基酸、绿原酸为主形成的褐色色素。这里所指的褐色色素，并非是单一的颜色或单一的成分，而是各种不同成分、颜色汇总在一起的总称。

在烘焙过程中，咖啡生豆会慢慢地改变颜色，褐色色素的总量和大分子的比例也在发生着变化。按照分子的大小可以将褐色色素进行大致的分类，轻度烘焙的咖啡豆中小分子的色素较多，随着烘焙的加深，在色素总量增加的同时，大分子的色素比例也会增加。

轻度烘焙的咖啡豆中，含有小分子的微微发黄的强劲色素，这是在烘焙初期糖类受热的分解物与绿原酸发生化学反应而形成的。

之后，随着烘焙的深入，低聚糖类就会发生焦糖化，变成焦糖色素。这些焦糖色素与低聚糖类、氨基酸发生化学反应后形成"类黑精"（Melanoidin），这是一种分子颗粒稍大的红褐色色素。形成类黑精的反应被称为"美拉德反应"（Maillard reaction）——一种在食品工业中非常重要的化学反应。面包烤熟的颜色、味噌汤的颜色、酱油的颜色等都是通过"美拉德反应"产生的。

随着进一步的深度烘焙，再加上蛋白质与多糖类的反应，就会形成百倍以上巨大的黑褐色色素。

事实上，这些色素就是构成咖啡苦味的重要成分之一，色素分子越大，苦味就越强劲。深度烘焙的咖啡豆苦味较强，就是由于上面所说的色素变化导致的。

Q15 烘焙生咖啡豆时会有香味出来，这是为什么呢？

咖啡生豆中含有多达200种的芳香成分，但是这些都不是平时我们感受到的那种令人心情愉悦的香味。只有火，才会赋予咖啡豆令人着迷的味道。只有经过烘焙，咖啡生豆才会散发出充满魅力的香味（据研究表明，已知的芳香成分有700种之多）。虽然说赋予咖啡味道的成分是很微小的，但是影响却是巨大的，即使有人说这就是让咖啡风靡世界的因素，我觉得也不过分。

烘焙时，咖啡豆的颜色会发生变化，这是因为美拉德反应（见Q14），实际上除了颜色外，就连咖啡豆香味的成因，也和美拉德反应密切相关。

味噌、酱油、烤肉或烤面包所拥有的独特香味，都是在美拉德反应下产生的，与咖啡香味的成因一样。但是，具体形成什么样的香味，香味达到什么样的程度，这些就要由氨基酸以及加热条件来决定了。咖啡中含有很多种类的氨基酸，这些氨基酸的组成又会因咖啡树的种类、栽培条件、精选时加工方法的不同而产生差异，也就是说，选择不同的咖啡生豆来烘焙，产生的香味是不一样的。另外，即使是同一种咖啡生豆，如果烘焙时的升温方法不同、烘焙程度不同，产生的香味也不同。

在Q14中，我还介绍了焦糖化现象，这是形成咖啡香味的另外一种化学反应。在焦糖化的过程中，会产生一种挥发性的酸，这种酸会散发出一种又香又甜的味道，这也是咖啡香味的重要组成部分。

此外，生豆中包含的绿原酸类等多种物质，遇热后也会产生各种香味。

烘焙时产生的这些芳香成分，会由于烘焙程度的不同而变化。变化的模式大致有3种：

1、变化很小；

2、增加到一定程度后减少；

3、随着烘焙的深入不断增加。

变化1中的香味，大多是咖啡生豆中本来就含有的成分；变化3

中的香味，是伴随着烟熏味或刺激性味道产生的成分；变化 2 中的香味，就是通常让我们感到愉悦的那种酸甜味或类似烧烤的香味。随着咖啡烘焙程度的变化，香味的质感会发生变化。

Q16　咖啡中含有的绿原酸是什么?

绿原酸又被称为咖啡丹宁酸（Coffee Tannin）或咖啡多酚（Coffee Polyphenol），近年来因其特有的生理活性（抗氧化性等），渐渐被喜欢咖啡的人们所关注。

绿原酸是咖啡酸与奎宁酸结合的产物。因为结合的方式不同（有 1:1 的方式、2:1 的方式，还有不同位置结合的方式）、咖啡酸的结构不同，会产生很多种类似结构的成分，我们把这些成分都称为绿原酸类。研究表明，咖啡生豆中的绿原酸类共有十几种之多。

绿原酸是鉴别咖啡生豆品质的重要指标之一哦！咖啡酸与奎宁酸按 1:1 结合的称为冠绿原酸（冠是"一"的意思），按 2:1 结合的称为"亚绿原酸"（亚是"二"的意思）。咖啡果实中的绿原酸会随着果实的成熟而发生变化，当冠绿原酸的比率大于亚绿原酸时，果实的成熟度较高。如果我们将同一株咖啡树上未成熟的果实与熟透的果实分开收获并精选，再将得到的咖啡生豆进行比较，这样就会发现，随着果实的不断成熟，当中的冠绿原酸比率会大大增加。

当冠绿原酸与亚绿原酸的比率不同时，味道就会不一样。亚绿原酸会在舌头上留下类似金属质感的涩味，这个味道对咖啡的香味是有损害的。虽然卡内弗拉种中的绿原酸含量高于阿拉比卡种，但如果仔细观察就会发现，这是由于亚绿原酸的含量高引起的。

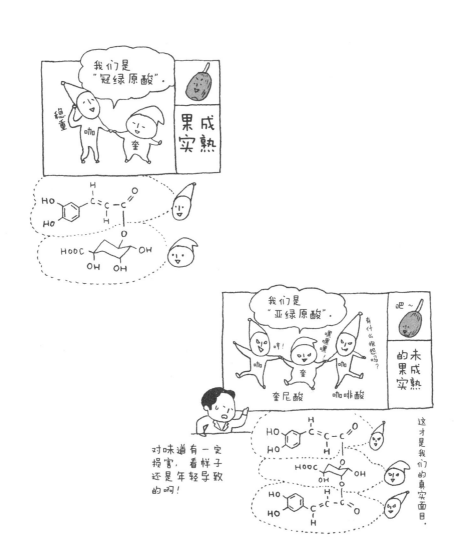

Q17 咖啡的味道
会随时间变化吗？
该如何保持原味？

在喝咖啡的过程中，咖啡的风味会不断地变化，原因是多种多样的：

第一个原因是味觉本身的温度特性。同样的东西，在不同温度下让我们感受到的酸味、苦味、甜味是不一样的。如果温度低，我们对苦味和甜味的感觉就会下降，而对酸味的感觉就会敏感，所以如果东西变凉，我们会更容易感觉到酸味。

第二个原因是成分的变化。咖啡中含有很多容易发生变化的成分，如果冲泡的温度高，变化就会不断发生。

第三个原因是氧。如果咖啡中混入了氧气，就会促进变化的发生。有人以为"只要将容器中装满咖啡，让其接触不到氧气就没问题了"，这个观点是错误的——如果氧气融入了咖啡，那么刚才说的最本质的问题还是没有解决。

如果想让咖啡的风味长期保持，应该怎样做呢？遗憾的是，人们至今还没有很好的答案。将咖啡急速冷却，饮用的时候再加温，这样做多少有一些效果。但要注意均衡加热，而且不能加热过度，如果不能在短时间内加热好咖啡，就会有一种煮干了的味道散发出来。如果用炉子或微波炉加热咖啡，咖啡可能会受热不均匀；如果隔水加热，时间又太长。我个人认为，直接饮用冰咖啡，或是在急冷处理的浓缩咖啡中兑入热水饮用，这些方法都可以。当然，最好的选择还是冲好后马上享用。

关于咖啡中发生的变化，我们应该学会体会其中的乐趣。如果能从"咖啡只能喝热的"这种先入为主的观点中跳出来，你就能感受到咖啡更多的魅力。虽然喜欢喝热咖啡的人很多，不过我还是认为，好

休息～

喝的咖啡凉了以后也一样好喝。咖啡在喝的过程中一点点地变凉，酸与苦的平衡感也发生了变化，与此同时，由于黏性增强，口感会变得较稠。

选择合适的咖啡生豆，精心地烘焙、混合，再用磨好的粉末冲泡成咖啡。最后，慢慢享用这一杯美味的咖啡吧，这可真是人生中的一大享受啊！

Q18 咖啡豆放久了会有哪些变化？

烘焙好的咖啡豆会随着时间而发生变化。烘焙豆放置一定时间就会失去香味，味道也可能会变得不好。咖啡豆慢慢失去香味的过程，我们称为劣化。

但是，咖啡豆是否劣化，只是制作者与饮用者主观的判断。刚刚烘焙好的咖啡豆与放置一年的咖啡豆哪个口味更好呢？首先，两者的风味肯定是不一样的。如果单从字面上来判断，大家一定会选择前者，但如果不考虑时间而直接品尝，一定会有人选择后者。选择后者的人会认为，咖啡豆放置了一年，才刚好是味道的成熟期，有些人就不喜欢用刚刚烘焙好的咖啡豆冲泡咖啡，是的，这对加工者来说可能有点失落。

那么，咖啡豆的味道为什么会发生变化呢？一般我们认为，这是由于咖啡豆中的油脂发生氧化造成的，但这并不是主要原因。因为咖啡豆中富含多种抗氧化成分，所以油脂氧化的过程是很缓慢的，而我们察觉到咖啡豆风味变化的时间要比油脂氧化的时间早得多。咖啡豆的味道发生的变化，其实是香味上的变化。刚刚烘焙好的咖啡豆会释放出气体（二氧化碳），这些气体会将咖啡豆的香味带走。此后，剩下的芳香成分又开始发生化学反应。香味的总量在减少，香味的质量也在下降，当那种令人愉悦的味道慢慢消失时，我们就察觉到咖啡豆劣化了。

香气飘出的原因

开始劣化

二氧化碳与香味成分一起出来.

烘焙豆

Q19 用矿泉水冲泡的 咖啡更好喝吗？

用矿泉水冲泡的咖啡和用普通水冲泡的咖啡，味道是不一样的，咖啡的颜色也会相对较深，这是受到了水中 PH 值的影响。PH 值（氢离子指数）是用来表示水溶液酸碱性的数值。水在 25℃时，PH 值刚好是 7，为中性，如果数值大于 7，就为碱性，那么就能与酸发生中和反应。普通水的 PH 值基本上是 7，如果是矿泉水，PH 值就会超过 8。

咖啡是 PH 值在 5~6 之间的弱酸性饮品，如果用 PH 值大于 8 的弱碱性矿泉水冲泡咖啡，就会中和一部分咖啡中的酸，咖啡的酸味会变弱。PH 值越大，中和酸的能力就越强。在矿泉水的标识上一般都会标有 PH 值，冲咖啡时，你可以参考一下这个数值。

使用 PH 值大的水冲泡咖啡，也不一定就好喝。对于喜欢咖啡口感酸一点的人来说，用 PH 值大于 7 的矿泉水冲泡咖啡，口感就会变得柔和。但对于一般人来说，用矿泉水冲泡咖啡，可能反而会让人感觉味道变"模糊"了。选择不同的水，无非就是调整咖啡酸味的方法。

而我个人认为，咖啡就像茶一样，用普通的水冲泡就可以了。如果想控制酸味，与其在水上花钱，倒不如改变一下烘焙豆的品种或咖啡的萃取时间。

所谓的遮荫树指的是什么?

阿拉比卡种是不需要日光直射的植物,在原产地的埃塞俄比亚,它生长在高处有树荫的地方,专门制造树荫的树木就叫"遮荫树"(Shade tree)。咖啡树和遮荫树形成的广袤森林,对于生活在其中的动物来说,真是一件无比恩惠的事呀。

遮荫树的使命不仅仅是制造树荫,它还可以为弱小的咖啡树抵御强风和霜降,强健的根系还可以保留住泥土中的养分。研究表明,有遮荫树守护的咖啡树,果实更大,成熟率更均匀,而且来年收获咖啡果实的程度也好,就连咖啡树的寿命也较长。

即使有这么多优点,遮荫树也不需要到处种植。如果天气条件(比如常常有雾)满足的话,那么不用种植遮荫树,日照量也可以达到种植咖啡树的要求,在容易滋生霉菌、易有病害的潮湿地带,也不需要种植遮荫树。

为了追求高的操作性与收获率,有些人不会种植遮荫树。增加日照量,一般都可以提升一定的收获量。各种咖啡树的品种不同,有耐强日照的品种,也有自身的叶子遮阳能力很强的品种。选择这一类的品种,给予充足的肥料,也可以种出好的咖啡豆来。

长久以来,遮荫树都是专门用于给某一类咖啡树遮挡阳光的树木,在选择咖啡豆的品质时,很多人都偏向于选择种植了遮荫树的咖啡豆。但是我认为这不一定正确,为了生产出好品质的咖啡豆,一定要结合品种的具体情况来选择种植方法,还要进行适当的精选,而不要拘泥于是不是使用了遮荫树。

3 如何冲泡出美味的咖啡

——咖啡的选购、萃取、研磨、保存

Q20 咖啡豆和咖啡粉，买哪一种更好呢？

我们在买咖啡时，常常面临咖啡豆与咖啡粉两种选择。

市面上销售的咖啡制品中，有七成左右都是咖啡粉。咖啡粉的好处是使用简单、便于冲泡。而时下非常普及的简易咖啡萃取法，恐怕是再简单不过的方法了。将滤纸挂在杯子上，将一杯份的咖啡粉倒入滤纸中，这样做不仅节省了磨咖啡豆的时间，也让计量、准备萃取器具乃至于最后的收拾工作都变得简单。

使用咖啡粉冲咖啡确实简单、便利，但如果仅仅因为这点而广受推崇，那人们对咖啡的理解就太肤浅了。实际上，粉制品也存在很大的问题，因为咖啡粉的劣化速度比咖啡豆要快好多倍。

在研磨咖啡豆的过程中，有70%左右的二氧化碳会发散掉。剩余30%的二氧化碳的挥发速度也比不研磨的咖啡豆要快数倍。二氧化碳担负着防止咖啡豆周边环境（水分、氧气）劣化的重要功能，如果磨成了粉，这个效果就会降低很多。二氧化碳挥发的同时，也会带走一部分咖啡的香味，所以咖啡粉的香味也不如咖啡豆。

在店里买事先磨好的咖啡粉，如果几天之内就喝完，味道不会有什么变化。如果不是很快就能喝完，那么你可以将刚磨好的咖啡粉与放了许久的比较着尝一尝，你就会发现，为了图方便而使用咖啡粉，付出的代价有多大。

事实上，大家不仅仅是因为便利、简单才推崇粉制品的，我在举办咖啡讲座时曾做过问卷调查，对于"为什么买咖啡粉"这个问题，很多人都回答说："因为不知道哪里可以买到咖啡豆。"这大概是大多数人没有选购咖啡豆的真正原因吧。

Q21 购买咖啡时,选择店铺的关键是什么?

经过选择生豆、烘焙、混合这几道工序,咖啡的味道基本就固定了。所以对于一般的消费者来说,买咖啡时选择的店铺、商店,是能否冲泡出好咖啡的重要一环。

在超市、商店选购大烘焙商的产品时,这些产品有各自的烘焙特色,所以我建议大家,在大商家购买烘焙豆时,可以多选择几种同样价格区间的咖啡豆进行比较。因为大烘焙商都有严格的质量检查,生产出来的烘焙豆质量全年都比较稳定。假如你追求咖啡豆质量稳定,而且又希望随时随处都能买到,那么在大超市或大经销商处购买是个不错的选择。

如果要将磨咖啡豆的小店作为长期购买的地方，那么第一次可以试着少买些，尝过后再决定。看看小商店门前的陈列柜，就会了解咖啡有几种烘焙程度和价格区间。另外，你还可以去听关于咖啡的讲座，这对于想研究咖啡的人来说非常有用。如果你真的想好好学习咖啡的制作过程，那么最好是去磨咖啡豆的小店，这样，你还可以向那些对咖啡有研究的前辈学习，我就是从咖啡店里的专家那里学到了不少咖啡的知识。

现在有很多人利用网络来买咖啡。各种有名的咖啡都可以在网上买到，这种方法的便利之处确实吸引人。不过，有名的咖啡未必适合自己的口味。假如你没有看到实物就购买，那么收到的货有可能与你的喜好不符。

销售商常常喜欢将咖啡的特色作为说辞来推销，这就需要购买者有一定的判断能力，才能买到好货。千万不要被那些自吹自擂的说法：名牌啦，名流啦……所迷惑，你真正需要的，是一款真正适合自己口味的咖啡。

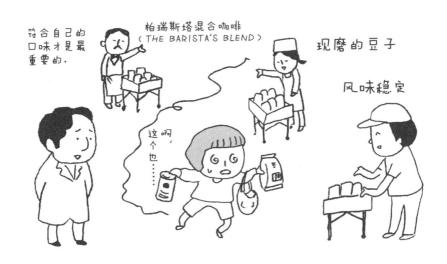

Q22 调制咖啡的器具都有哪些?

冲泡咖啡的器具种类很多,冲泡咖啡的方法更多。让我们先简单了解一下,各种冲泡器具和它们的使用方法吧。

滴漏式(滤纸滴漏式、法兰绒滴漏式)

所谓滴漏式,就是先将咖啡粉放入滤网中,然后再将开水倒入,溶解了咖啡的热水会透过滤网流入杯中。

典型的滴漏式冲泡方法是滤纸滴漏式,这也是目前家庭使用率最高的冲泡法。使用时,只要将滤纸放到咖啡滤杯上,冲泡好后再将滤纸中的残渣倒掉就可以,操作非常简便。这个方法是在 1908 年由德国人梅丽塔·本茨(Melitta Bentz)夫人发明的,由于它操作简便,所以在世界上广为流传。实际上,这种看似简单的冲泡方法,操作起来还是有一定难度,要想冲泡出质量稳定的好咖啡,需要反复练习。

滤纸滴漏式的过滤网是纸质的,而法兰绒滴漏式的冲泡方法是将法兰绒作为滤网。虽然法兰绒滴漏式的操作更难,但是这种冲泡方法在一些咖啡店或咖啡爱好者中非常有人气。

滴漏式

法兰绒滴漏式

滤纸滴漏式

咖啡机

咖啡机现在越来越普及，它比滤纸滴漏式的影响更广，操作更简单。把冲泡咖啡的工作交给机器的确省事，但是，机器冲泡出的咖啡味道稳定性差，又不像手工冲泡那样便于把控，所以选择的原料就更重要了。

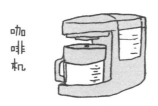

咖啡机

法式压力壶（活塞式）

法式压力壶是由一个圆筒状容器和一个可将咖啡粉与水分离的金属滤网（有轴）构成的。将磨好的咖啡粉放入咖啡壶中，再倒入热水，经过一段时间后挤压滤网，此时咖啡粉就会从容器底部分离过滤出来。这种方法操作简便，但是事后清洗有点麻烦。

法式压力壶（活塞式）

虹吸式

虹吸式咖啡壶的外形非常有特色：先在下端的球型玻璃容器中倒入水，然后在玻璃容器的下面加热至水沸腾，将放好咖啡粉末的漏斗插入玻璃容器。之后，水一沸腾就会被吸上来，这时咖啡的萃取就开始了。一定时间之后，只要停止加热，就会瞬间进行过滤，将咖啡液与粉末分离。虽然在器具维护上比较麻烦，但冲泡方式的操作简单。与咖啡机一样，对原料的要求比较高。

意大利浓咖啡（Espresso）

最近，意大利浓咖啡慢慢流行了起来。意大利浓咖啡，是先将磨得很细的咖啡粉装入容器中，然后在短时间内用高温高压的方式制成的咖啡。高温、高压是冲泡的要点，而为了满足这个条件，就不得不在机器上花大价钱。有一种被称为"摩卡壶"的咖啡壶，被很多人当成了"家用意式咖啡机"，但是从萃取原理上看，这种方式制成的咖啡，不算是正统的意大利浓咖啡。

虹吸式

Q23 如何萃取咖啡的成分？萃取的原理是什么？

向咖啡粉中倒入热水后，咖啡的成分就会转移到水中。这种提取咖啡成分的过程就是萃取。

咖啡是一种可以常年饮用的饮品，在上一节中，我们介绍了滴漏式、活塞式、虹吸式、意大利浓咖啡（Espresso）等萃取方法。这些萃取方法或多或少都有不同，但其实除了意大利浓咖啡外，其他几种的萃取原理都是一样的。

咖啡的萃取过程有两步。

第一步，是将咖啡粉表面的成分转移到水中。这些成分转移的速度与其本身的浓度有关。如果咖啡粉表面成分的浓度高而水中的咖啡成分浓度低，成分转移的速度就快。所以，在萃取初期，咖啡成分向水中转移的速度快，而随着时间的变化，速度会越来越慢。刚开始泡咖啡的1分钟内在水中溶解的咖啡成分，会远远大于一段时间后的某一分钟内的溶解量。

第二步，是让咖啡成分从咖啡粉的中心向表面移动。在第一步中，咖啡粉表面的成分已经溶解于水中，所以咖啡粉表面的浓度下降了，这就引发了第二步——咖啡成分的移动。第二步与第一步相比，成分移动的速度要更慢。我们所说的"如果咖啡豆的原料、冲泡方法不同，咖啡的味道也不同"，其实就是萃取的第二步产生的影响。

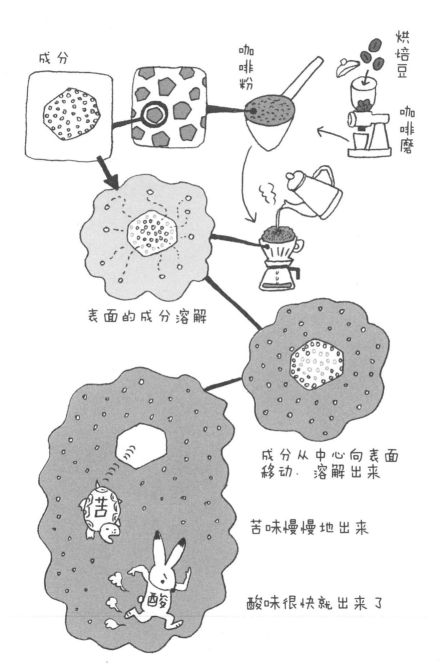

成分

咖啡粉

烘焙豆

咖啡磨

表面的成分溶解

成分从中心向表面
移动，溶解出来

苦味慢慢地出来

酸味很快就出来了

苦

酸

Q24 咖啡会因为
冲泡方法的不同，
味道也不同吗？

　　咖啡的冲泡方法用一句话来说，就是通过控制和平衡烘焙豆中各种成分的萃取量来调制咖啡。

　　咖啡中的酸味和苦味的成分总量是由原料决定的，所以原料的选择非常重要。选择什么样的豆子进行烘焙，烘焙时怎样升温，烘焙到什么程度，如何混合……我们完全可以说，"以上这些操作基本上决定了咖啡的味道。"

　　不过，就算用同样的原料冲泡咖啡，每次冲泡的味道也不一定一样。冲泡方法不同，咖啡的味道也不同。即便使用相同的原料，保证相同的酸味、苦味的量，如果萃取的程度不一样，咖啡的味道也会不一样。

　　萃取时，以下因素会对咖啡的味道产生影响：

　　1．水温（和咖啡粉接触时的水温）。

　　2．时间（水与咖啡粉的接触时间）。

　　3．咖啡粉颗粒的大小。

1. 水的温度可以改变咖啡的味道

一说到水温，大家马上就会想到萃取时倒入的水的温度，而实际上，这里的水温指的是接触咖啡粉时的水温。

如果水温过高，就会加快咖啡粉的成分溶解的速度。酸味本身的溶解速度很快，即使水温再高，其溶解于水中的总量也不会有太大变化。苦味的溶解速度比较慢，如果水温高，苦味由咖啡粉中心向表层移动的速度就会一下子加快，融入水中的总量会变多，咖啡中苦味的比例会增加。反之，如果水温低，咖啡中苦味的比例就会减少。

2. 萃取时间可以改变咖啡的味道

酸味的溶解速度原本就快，所以3分钟溶入水中的量与5分钟的没有太大的差异（到第3分钟时，酸基本上已经都溶解了）。苦味的溶解速度较慢，所以3分钟时溶入水中的量与5分钟的差异较大。总之，如果增加了萃取时间，时间越久，咖啡越苦。

3. 咖啡粉颗粒的大小可以改变咖啡的味道

咖啡粉磨得越细，意味着其中的成分越容易出来。对于原本就很容易溶解的酸味成分来说，咖啡粉颗粒的大小对它并没有什么太大的影响。但是，对于不易溶解的苦味成分来说，咖啡粉颗粒的大小就有着举足轻重的含义。咖啡粉颗粒小，溶解于水中的苦味总量就大，苦味的比例也就大。

到底什么口味更好？酸与苦的比例到底怎样才好？这就是个人喜好的问题了。如果咖啡是为自己冲泡的，只要自己喝着顺口就行；如果是为别人冲泡的，那么为了做出适合的口味，就需要掌握挑选原料、控制水温、萃取时间及咖啡粉的研磨程度这一类的技巧了。

Q25 用滤纸滴漏式的方法冲泡咖啡，要注意什么？

滤纸滴漏式，是先将纸质滤网放到有孔的容器中，然后再把咖啡粉倒入滤纸，之后从上方浇入热水。咖啡的成分先融入热水，再透过滤纸与滤杯的孔流入杯子。用后只要将滤纸连同残渣一起扔掉即可。

这种非常流行的冲泡方法，操作起来有一定的难度，要想冲泡出质量稳定的好咖啡，需要反复练习。

滤纸滴漏式冲泡的第一个难点是，因为萃取与过滤同时发生，所以无法控制萃取时间。而萃取时间（见上一节）是决定咖啡味道的重要因素。滤纸滴漏式与活塞式、虹吸式的不同在于，热水的注入与咖啡液的过滤是同时发生的。所以，从开始倒热水至结束的时间即使只有3分钟，热水也是分几次倒的，所以真正的萃取时间并不止3分钟。

第二个难点是，根据咖啡粉的多少与颗粒大小的不同，萃取时间也不一样。例如，活塞式或虹吸式在增加冲泡杯数时，只需要将咖啡粉与水量按倍增加，就可以冲泡出同样口味的咖啡。但滤纸滴漏式就不能用这个方法。因为在咖啡粉量增加后再倒入热水，萃取时间会变长。如果要增加冲泡杯数，就要一点点地减少咖啡粉的比例，或者换成颗粒大的咖啡粉。为了改变口味，可以用颗粒大的相同质量的咖啡粉来冲泡，这样萃取的时间变了，味道自然也就改变了。如果不改变咖啡粉颗粒的大小，还可以通过调整水温来改变味道。

第三个难点是，使用的咖啡滤杯不同，萃取的时间也不同。因为不同的咖啡滤杯过滤的速度不同，所以咖啡滤杯对味道也是有影响的。这个问题我们将在下一节详细介绍。

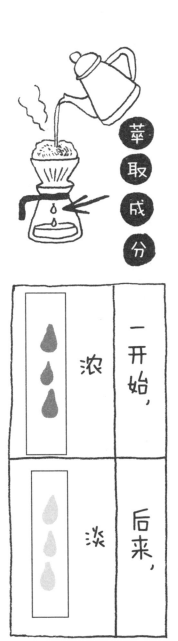

萃取成分

一开始，浓

后来，淡

Q26 咖啡滤杯有几种类型？各自有什么特点呢？

滤纸滴漏式的咖啡滤杯有很多不同的类型，有1个孔的，有3个孔的，还有1个大孔的……使用不同类型的咖啡滤杯，过滤的速度不一样。

咖啡液过滤得快，水会迅速流出，萃取的时间就会短。反之，过滤得慢，咖啡液就会滞留在滤杯中（滞留的咖啡液被称为"滞留液"），使萃取时间变长。因为萃取时间不同，所以咖啡的味道也不同。

而且，如果滤杯孔的大小不同，过滤的速度也不一样。孔小的滤杯（1个孔），过滤的速度慢。使用这种滤杯，倒入热水后不会马上流净，而是有一定程度的滞留，这样冲泡出的咖啡品质较为稳定，不易受倒水方式的影响。

反之，如果孔的面积大（3孔或1个大孔），过滤速度就会变快，倒水方式对咖啡味道的影响就大。这种类型的咖啡滤杯不易产生"滞留液"，随着水的倒入，萃取和过滤会同时发生，而且是以倒入水的位置为中心发生萃取的。水倒得多的地方，萃取得就多些，反之则少些，也就是说粉末中的咖啡成分容易溶解得不均匀。经常会听到有人说"不要将热水浇到滤杯的边上"，确实，如果在咖啡粉堆积厚的地方和薄的地方倒入相同的水量，那么周边薄的地方容易萃取过度。

选择滤杯的时候，还需要注意它的材质。陶瓷质地的滤杯，每一个都会有微妙的差异。在内壁上刻的沟槽有的成形效果不好，这样就会妨碍水的流出，所以买的时候要特别注意。

和滤杯配合使用的滤纸也需要注意。有的滤纸味道很大，这种味道会对咖啡香味造成干扰。建议大家在买前最好先试一下，可以将滤纸放入杯子，直接在上面倒入热水，然后闻一闻就知道纸的气味合不合适了。

			滤杯的类型
1个大孔	3个孔	1个孔	
比3个孔的快	比1个孔的快	慢 同样时间内过滤的量很少	过滤速度
不容易滞留	稍稍容易滞留些	很容易滞留	滞留液

像一个蓄水池

Q 27 用哪种滴漏式手冲壶好？为什么要按照"の"的样子倒水？

在市面上可以买到滴漏式专用水壶（手冲壶），使用这种壶倒水，能够控制水倒入的量与位置。

如果希望有"滞留液"产生，那么就不一定非得用专用的水壶倒水，用其他的壶也是可以的。如果不希望有"滞留液"产生，这时专用水壶就显得重要了。这是因为，咖啡会以热水的倒入位置为中心进行萃取，掌握咖啡的萃取状况，从某种意义上来说就是控制热水的倒入方式。

经常听到有人说"要按照'の'的样子倒热水"，为什么要这样呢？我也不知道原因，可能是为了强调不要一直往一个地方倒水的意思吧。萃取过程中，咖啡的成分由咖啡粉的中心向表面移动得很慢，如果一直朝一个地方倒水，那么就只是在冲刷粉末的表面，这样冲泡出来的咖啡口感会淡。所以在没有咖啡"滞留液"的时候，不能一直往一个地方倒水。如果有咖啡"滞留液"，也不需要拘泥于按照"の"的样子倒，只要不是一动不动地倒入同一个地方就可以了。

至今为止，我用过很多类型的手冲壶，我发现，并不是所有的水壶都能很好地控制倒入的水量，所以在买之前最好试一下。由于形状和容量不同，水壶的好用程度也有差别。如果壶嘴的前端比较细，倒出的水流就细，如果壶嘴的底端也细，那倒出的水流就偏急。由于水流细，在向大一些的咖啡滤杯中倒水时，很难进行大范围萃取，所以这种水壶不适用。我个人认为，下粗上细的壶嘴比较好用。如果不是很在意壶的样式，也可以用茶壶。

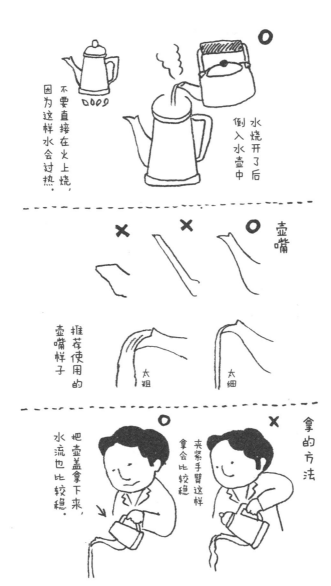

水烧开了后
倒入水壶中

不要直接在火上烧，
因为这样水会过热。

壶嘴

推荐使用的
壶嘴样子

太粗

太细

拿的方法

夹紧手臂这样
拿会比较稳

把壶盖拿下来，
水流也比较稳。

Q28 为什么倒入水后咖啡粉会膨胀？ 如果没有膨胀，是因为咖啡粉不新鲜吗？

向咖啡粉中倒水，会有气泡冒出来，而且粉末整体会膨胀，气泡冒出来的样子和粉末的膨胀程度不一样。

这些气泡到底是什么呢？

气泡中的气体是烘焙咖啡豆时产生的二氧化碳，形成气泡外膜的是蛋白质或多糖类等（与意大利浓咖啡表面覆盖的气泡成分相同）。有人认为，在冲泡过程中产生的气泡是咖啡发涩的原因，这种说法不一定准确。因为即使将气泡撇出来，放到冲泡好的咖啡中搅拌，也喝不出和之前的味道有什么不一样。

往咖啡粉里倒水时产生的气泡，有的很细小，有的很大，有时几乎不产生气泡。这是因为释放二氧化碳的方式有所不同。

刚刚烘焙好的咖啡豆中含有大量的二氧化碳，如果立即磨成粉，倒入热水就会有大量的气泡产生。这些气泡会妨碍咖啡的萃取，但这并不代表咖啡豆不好。我们会发现，此时即便用平时的方法冲泡咖啡，味道也比平时要淡。所以人们常常说："新磨好的咖啡豆，要放一个晚上再用。"

如果几乎没什么气泡，或者咖啡粉的膨胀度低，这是因为咖啡粉中的二氧化碳含量低。有人说，如果不怎么膨胀，是由于咖啡粉不新鲜。的确，烘焙后随着时间的流逝，咖啡豆中的二氧化碳含量会越来越少。此外，咖啡粉不容易膨胀的原因，还可能是因为装包时放入了吸收二氧化碳的脱氧剂，或是由于使用了颗粒大的咖啡粉并缓慢倒入热水，以及水温较低等原因。

气泡中的气体是我~

Q 29 如何试用滤纸滴漏式冲泡出口味稳定的咖啡?

即使同样的咖啡粉,每次冲出来的咖啡味道也会不一样,这是由于每次的水温和萃取时间(热水与粉末接触的时间)不一样。

为了控制好温度,就要使用温度计。市面上卖的温度计大多精度较低,误差可能达 ±5℃,为了更准确地控制温度,最好用两个温度计或换一个精度高的温度计。我们要测量的并不是通常意义上的水温,而是接触咖啡粉时的水温。这个温度会受倒水方式、咖啡粉量、咖啡粉温度等因素的影响,如果这些条件不固定,测量效果也会大打折扣。

如果你希望萃取时间稳定，那么倒水的方式必须稳定。你可以参考滤杯中咖啡粉的状态和水量来掌控倒水的时机。之前有人总结了一些技巧，如"一直倒水直至粉末完全膨胀""在滤纸中的水还没有完全流出之前倒水""不要等咖啡液漏净，就要将它从滤杯上拿下"等等。在用手冲壶倒水时，要逐渐往水壶中蓄水，保持水壶中有一定水量，以保证出水的稳定。如果水壶比较重，就要将壶拉近身体，不要单用手臂，而是要用上身的力量去控制水壶。

另外，如果增加冲泡的杯数，就要改变萃取的时间。杯数多了，整体的萃取时间就会变长。考虑到这一点，我们可以减少单杯的粉量、换用颗粒大的咖啡粉，或者换成过滤速度快（1个大孔）的滤杯。相反，如果减少冲泡的杯数，就可以增加粉量、使用颗粒更细的咖啡粉，或者换成过滤速度慢（1个小孔）的滤杯。按照这些方法就可以保证咖啡的味道稳定。

还有一种比较浪费的方法是用两张滤纸，这样也会降低过滤速度。因为粉质很细，本身咖啡的成分就容易溶解，再加上长时间的萃取，会使咖啡的成分过多地溶解到水中。这样原本不希望太苦的咖啡，就会变得更苦。

在使用滤纸滴漏式冲泡咖啡时，我个人有一个小技巧。我会先放入较多的大颗粒咖啡粉，然后迅速过滤，这样做既简单，味道也不错。因为粗磨咖啡粉的过滤时间短，所以咖啡中的苦味少。但这样做，咖啡的味道会偏淡，为了弥补这个缺点，要多放一些咖啡粉。使用这种方法做出口味稳定的咖啡是需要反复练习的，为了弥补水平发挥的不稳定，我建议冲的时候可以稍微冲浓一些，冲泡好后先尝一下味道，再适当地添水调整，这样冲泡咖啡的水平不就稳定了吗？

Q30 法兰绒滴漏式有什么特点？
冲泡诀窍是什么？

　　在滤纸滴漏式普及之前，法兰绒滴漏式是广为人知的冲泡方法，这种方法是用法兰绒（单面绒的材质）代替咖啡滤杯，萃取原理与滤纸滴漏式相同，但是过滤速度要快一些。在冲泡量大的时候，费时不会很长，适用于单次冲泡量较大的情况。如果冲泡量少，由于倒水的方式不同，口味差异会比较大，所以比较考验操作者的手艺。

　　法兰绒的孔比滤纸要大一些，更容易将咖啡中的成分萃取出来。例如，在使用滤纸的时候，脂类会被挡住，很难流入杯中，而用法兰绒过滤的咖啡中就含有脂类。法兰绒滴漏式与滤纸滴漏式不同的魅力在于冲出的咖啡会带有独特的油脂感。

　　我曾经看过一本经典的咖啡书，书中罗列了很多种法兰绒滤网的使用方法，例如，绒面朝里还是绒面朝外，如何裁剪法兰绒与缝合等。我也尝试过一些，发现这真是一个有无限可能的奇妙世界，也许这正是法兰绒滤网的一种魅力吧。

　　法兰绒滴漏式的滤网保养非常重要。为了去掉新法兰绒上的糊状物，需要将其放到沸水中煮。另外，用过的滤网要先用清水洗掉咖啡残渣，然后湿着保存起来（湿着放到塑料袋中或泡在水里）。我就有过这样的失败经历——将滤网晾干后才发现，残留于上面的咖啡成分变质了，散发出一股臭味，导致滤网不能再用了。

　　法兰绒会在使用过程中慢慢地被堵塞，所以我们平常冲泡咖啡时，要注意一下咖啡液的流出速度。如果速度变慢，就可以通过换大颗粒的咖啡粉或减少粉量的方法来调整。

　　如果咖啡的味道变得厚重，就要考虑更换新的法兰绒滤网了。

　　将绒面朝里，滤网比较容易堵塞，所以我一般会将绒面朝外。

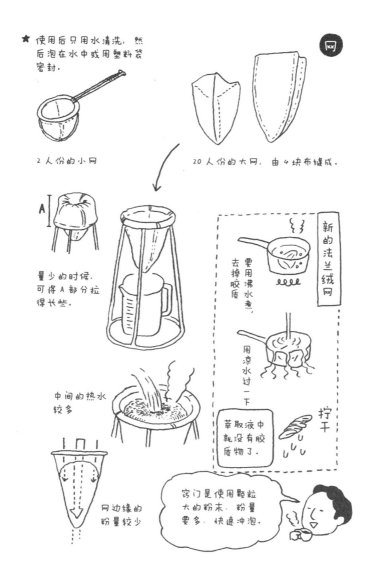

★ 使用后只用水清洗，然后泡在水中或用塑料袋密封。

网

2人份的小网

20人份的大网，由4块布缝成。

A

量少的时候，可将A部分拉得长些。

中间的热水较多

新的法兰绒网

要用沸水煮，去掉胶质

用凉水过一下

萃取液中就没有胶质物了。

拧干

网边缘的粉量较少

窍门是使用颗粒大的粉末。粉量要多，快速冲泡。

Q 31　法式压力壶的咖啡萃取原理和冲泡诀窍是什么?

　　法式压力壶是由一个圆筒状的容器和一个可将咖啡粉与水分离的金属滤网（有轴）构成。使用方法是将咖啡粉放入咖啡壶中，倒入热水，经过一段时间后挤压滤网，此时咖啡粉就会从容器底部分离过滤出来。这是一种清洗有点麻烦但操作简便的冲泡方式。

　　法式压力壶是很有代表性的浸渍萃取器具。浸渍法的特点是容易控制、改变热水与咖啡粉的接触时间，也就是说，方便控制咖啡的味道。对于对咖啡的口味有个人要求的爱好者来说，这个方法很合适。

　　即便不用法式压力壶，也可以使用浸渍萃取法。你可以先把称好的咖啡粉倒入马克杯，然后倒入热水搅拌，几分钟后用滤纸和咖啡滤杯过滤一下，一杯咖啡就冲泡好了（当然也可以不过滤咖啡粉，只是那样口感会显得粗糙，而且随着时间的流逝，咖啡的味道也会越来越浓）。

　　如果你可以将咖啡粉的颗粒大小、粉量（几勺）、水温（水开后多长时间）、水量（如果每次都用同样的马克杯，要记住相同的水位）、倒入水后多长时间过滤等因素都控制好，就能保证每次冲泡咖啡的口味都一样。如果想改变一下口味，操作起来也简单：希望口味淡一些，那就减少咖啡粉量、用颗粒大的咖啡粉、水沸腾后多晾一会儿（让水温下降）、缩短浸泡时间；反之，如果希望口味浓，可以增加粉量、用颗粒小的咖啡粉、提高热水的温度、延长浸泡时间。

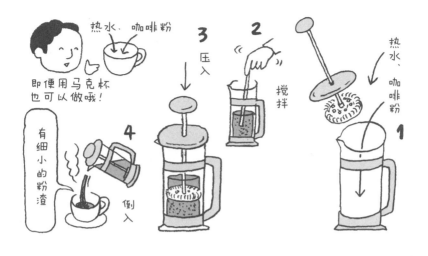

即便用马克杯也可以做哦！

3 压入

2 搅拌

热水、咖啡粉

有细小的粉渣

4 倒入

热水、咖啡粉

1

Q32 虹吸式咖啡壶的萃取方法和冲泡诀窍是什么?

　　虹吸式咖啡壶的工作原理是这样的：烧瓶中的气体遇热膨胀，将开水推至上半部的漏斗中，通过和里面的咖啡粉充分接触，将咖啡萃取出来。结束时，只需将下边的火熄灭即可。火熄灭后，刚刚膨胀的水蒸气会遇冷收缩，原本在漏斗中的咖啡就会被吸到烧瓶中。而萃取时产生的残渣，则会被漏斗底端的滤网挡住。

　　用虹吸式咖啡壶来冲调，味道稳定性很高。只要控制好咖啡粉颗粒的大小和粉量的多少，注意水量以及浸泡（咖啡粉和开水接触的时间）时间就可以了。水量可以通过烧瓶中的水位来掌控，而关火的时机能决定浸泡的时间，注意以上的因素，冲泡起来就很简单。虽然这种方法味道稳定，但也要考虑咖啡粉的材质。

虹吸式咖啡壶是通过加热使水蒸气膨胀，将开水推入上方的玻璃器具中进行萃取的；所以水温会持续偏高。水温非常高的时候，咖啡的苦味就容易出来，这样就能泡出一杯热热的苦咖啡。但是，如果咖啡粉的原料没有选好，那么无论你再怎么调整咖啡粉颗粒的大小、粉量还有浸泡时间，也无法调制出美味的咖啡来哦。

虹吸式咖啡壶拥有其他咖啡器具没有的魅力，因为它具有独特的视觉效果。它不仅外形有个性，就连熄火后咖啡通过滤网被吸入烧瓶那一瞬，也令人百看不厌。最近，据说又新增了用卤素灯进行加热的方法，使用起来宛如一场灯光的华丽表演。我想这也是咖啡之所以美味的另外一个原因吧。

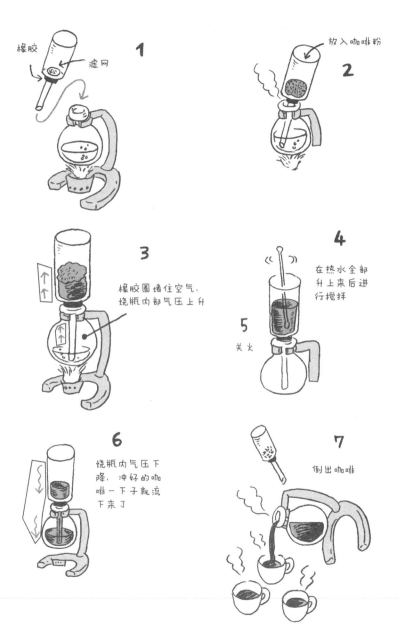

橡胶

滤网

1

放入咖啡粉

2

3

橡胶圈堵住空气,
烧瓶内部气压上升

4

在热水全部
升上来后进
行搅拌

5

关火

6

烧瓶内气压下
降,冲好的咖
啡一下子就流
下来了

7

倒出咖啡

Q 33　怎么正确使用咖啡机?

　　家里冲泡咖啡,我们大多会选用咖啡机。咖啡机的价钱不是很高,操作方法也简单。萃取的原理和滴漏式很接近。

　　至今为止,我比较过很多种咖啡机。我发现,虽然都是用咖啡机冲泡,但机器种类的不同,会影响热水接触咖啡粉的方式,当然,冲泡咖啡时的注意事项就更不一样了。因此在购买咖啡机之前,最好先试用一下。如果不能试用,也可以上网咨询相关的信息后再购买。

　　使用咖啡机冲泡咖啡,水温大都偏高。因为无法控制水温和热水注入的方式,所以就要通过原料、咖啡粉量以及研磨的颗粒大小进行调节。如果你感到咖啡口味偏重,可以尝试选择烘焙程度低的咖啡豆或颗粒大的咖啡粉。

　　我们在使用咖啡机时,大都会打开保温功能,但如果你重视咖啡的味道,我建议你取消保温功能。咖啡的香味中含有很多容易发生变化的成分,如果长时间保持高温,就会促进成分发生变化。如果将咖啡机持续保温 10 分钟,就能很容易地察觉到咖啡的苦味、酸味以及香味的变化了。市面上有一种不用加热的保温瓶,虽然比起新鲜冲泡的咖啡来说味道会流失,但如果必须要保温,还是选择热负荷小的保温瓶好一些。

　　我不是很喜欢用咖啡机冲泡咖啡。因为把水烧开、用电动咖啡磨把咖啡豆磨好,也就是几分钟的事情。我觉得,把形成咖啡风味最重要的几分钟完全委托给机器,实在是太没趣味了。要熟练掌握这些操作是非常容易的,在这短短的几分钟里,往往能体会到咖啡的无限乐趣。

Q34 清澈透明的咖啡代表味道好吗？

经常有人说："澄清的咖啡味道才好，咖啡透明度差是原料不优或冲泡方法不当造成的，喝了对身体不好。"这是真的吗？的确，过滤后本应该透明的咖啡液有时会显得浑浊，有时表面还会漂有一层油脂。

油脂出现的其中一个原因，也许是器具没有清洁干净。这并不是咖啡豆自身的问题，而是因为器具上附着的油污被热水冲入了咖啡。因此，按时清洁器具也是冲泡出美味咖啡的要素之一。为了不破坏咖啡的味道，每天都要注意按时清洁。

萃取液浑浊是由于咖啡豆中的成分造成的。咖啡豆中各种成分溶于水的难易程度不一样，有些成分无论在凉水还是热水中都能轻松溶解，有些成分的溶解性是随水温的升高才增强的，产生问题的往往是后者。杯中咖啡的温度会渐渐变凉，原本溶解在水中的一部分成分，由于温度下降、溶解度降低，就会从液体中析出，造成咖啡的浑浊。

有些成分很容易和其他成分黏合在一起，具有代表性的成分就是咖啡因和绿原酸。咖啡因和绿原酸类一旦黏合，溶解度就会变得极低，自然咖啡就会变浑浊。所以，咖啡因与绿原酸类含量高的咖啡比较容易浑浊。被视作低档品的卡内弗拉种中含有的咖啡因与绿原酸类，往往比阿拉比卡种中的要高，但被视作高档品的阿拉比卡种里，也有绿原酸和咖啡因含量高的品种。因此不能一概而论地说，咖啡浑浊是因为原料不好。另外，绿原酸类的含量会随着烘焙的深入而减少，所以烘焙度低的咖啡也容易浑浊。

咖啡浑浊与否，与个人喜好有一定的关系，不一定是原料问题或冲泡技术问题造成的。另外，关于"浑浊的咖啡对身体不好"这个论断，我从来没有看到过相关的医学报告。

Q35 意大利浓咖啡的萃取原理是什么？

意大利浓咖啡（Espresso）的产生不过是近一个世纪前的事情。虽然它是一种比较新的萃取方法，但是短短数年内却迅速普及开来。掀起"意式浓咖啡热"的是一种被称为西雅图系的深度烘焙豆，而在发祥地意大利，当地人所用的咖啡豆的烘焙程度比西雅图系的要浅，而且也更被人熟知。

意大利浓咖啡与滴漏式的萃取原理不同。就像人们说的那样——"9 个大气压、90℃、30 秒"，意大利浓咖啡就是通过高温（90℃）、高压（9 个大气压）的萃取方法在短时间（30 秒）内加工出少量（30cc）的高浓度咖啡。高温、高压下的水蒸气能浸透到咖啡粉内部，将咖啡的成分溶解出来，比其他只能将咖啡粉表面成分溶解出来的萃取方法效率要高得多。

　　咖啡液表面覆盖的细细泡沫也是意大利浓咖啡的特征之一。蛋白质与多糖类发生反应，产生的这种泡沫是咖啡油脂，这些油脂负责将香味封存在杯中。

　　意大利浓咖啡的风味好坏，由咖啡粉量、颗粒大小、装法等因素决定。只要压力设定正确，30秒左右就会加工出30cc的咖啡来。如果粉量小、颗粒大、装得不实，压力就容易下降，萃取的时间就比较短，这样做出来的咖啡口味就会淡，而且上面的泡沫也会很快消失。反之，如果粉量多、颗粒大、装得太实，那么咖啡液就会半天出不来，萃取出的咖啡表面会伴有大而密的泡沫，涩味也重。

　　为了做出品质稳定的好咖啡，咖啡粉的量、装粉的密实程度都要固定，颗粒大小也必须调整到适宜的状态。有一种节省时间的好办法，是用"咖啡胶囊"——一个胶囊里正好是一杯咖啡的粉量，现在这种方法已经非常普遍。使用咖啡胶囊，很难让人感受到现磨咖啡豆的风味，但使用这种方法，无论谁都可以冲调出标准的意大利浓咖啡。

高压　9个大气压

高温的水　90℃

短时间　30秒

量少且浓度大　30CC

意大利浓咖啡

渗透到粉末的内部，将成分一下子溶解出来。

滴漏式等其他萃取方法

慢慢地

慢慢地

Q36 在家里也可以冲调出专业的意大利浓咖啡吗?

　　有一种叫摩卡壶的咖啡机,常常被用作家庭制作意大利浓咖啡的机器。摩卡壶的原理是,对密闭容器中的水加热,使其沸腾后到达咖啡粉层,然后开始萃取。摩卡壶用的也是意大利浓咖啡的细咖啡粉,也像专业的咖啡机那样,让高温的热水透过滤网萃取咖啡,所以这种方法制成的咖啡也被称为意大利浓咖啡。实际上,这种方法对咖啡粉施加的气压非常低,只有1.5个大气压,和真正的意大利浓咖啡的萃取原理不一样,反而和滴漏浸泡式比较接近。在介绍滴漏式方法的时候,我曾经提过,咖啡粉越细、水温越高,咖啡的苦味就越重,所以像摩卡壶这样,用很细的咖啡粉再配以100℃以上的热水制成的咖啡,味道非常苦。建议饮用的时候添加牛奶或水,这样口感较好。

　　只有压力达到9个大气压左右的机型,才能做出正宗的意大利浓咖啡。

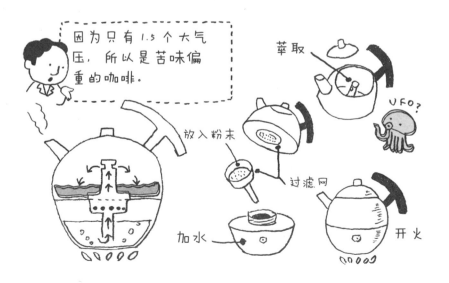

因为只有1.5个大气压,所以是苦味偏重的咖啡。

萃取

放入粉末

过滤网

加水

UFO?

开火

Q 37　冰滴咖啡的萃取原理是什么?

冰滴咖啡的操作法就像名字一样，不是用热水，而是用常温的水来冲咖啡。咖啡豆中能够溶解于热水的成分，一定程度上也能够溶解于常温的水中，只是溶解的时间会很长，需要浸泡几个小时甚至十几个小时。

冰滴咖啡的特点是味道温和，这是因为带来厚重感味道的苦味没有溶解到水中。另外，由于含香味的成分也不易溶于水，所以如果你喜欢追求咖啡的香味，就不宜用这种冲泡方法。

一些专业的咖啡店在做冰滴咖啡的时候，会使用类似试验用的玻璃器具：调节长颈瓶口的开关直至水一滴滴流出，经过几十厘米的距离滴落到咖啡粉层。水滴啪嗒啪嗒地落下，然后慢慢穿过咖啡粉层，再一点点变成褐色，这真是一场视觉的享受。

家里也可以制作冰滴咖啡。在市面上你可以买到比专业咖啡店用的小一号的家用冰滴咖啡器具，只是价格稍微贵了点。这种家用的咖啡具，水与咖啡粉的混合不是很均匀，容易发生萃取不均的现象，但只要在咖啡粉上面放一张滤纸就可以解决。

即便没有专用的萃取器具，也可以制作冰滴咖啡。法式压力壶、锅或马克杯等都可以。先放入咖啡粉，再倒水，剩下的就是等候了。等到浓度够了，再用滤纸将咖啡残渣滤掉，这样，一杯冰滴咖啡就做好了。

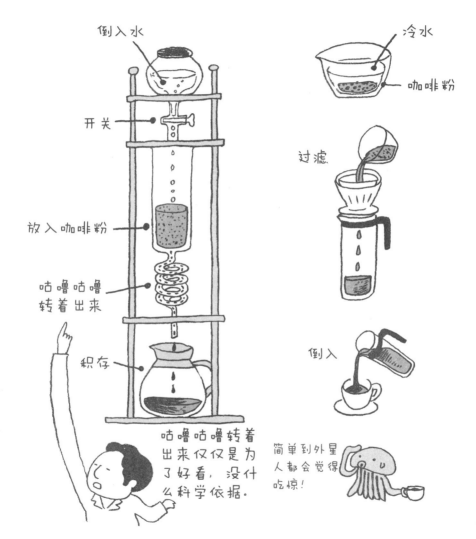

倒入水

冷水

咖啡粉

开关

放入咖啡粉

过滤

咕噜咕噜
转着出来

积存

倒入

咕噜咕噜转着
出来仅仅是为
了好看，没什
么科学依据。

简单到外星
人都会觉得
吃惊！

Q38 冰咖啡怎么做才好喝？

100多年前的美国，有人为了促进夏季的咖啡销量而大做宣传，使冰咖啡开始普及。电影《罗马假日》中就有这样的镜头，格里高利·派克主演的新闻记者点了一杯"Cold Coffee"。现在很多人都青睐冰咖啡，每年夏天都是冰咖啡的销售旺季。

在制作冰咖啡时必须注意，味觉是有温度特性的，我们感受到的味道强弱会受温度的影响。我所在的公司就曾经对员工、客户进行味觉感受测试，结论是，如果温度低，人们对甜、苦的敏感度会下降，对酸的敏感度会上升。因为考虑到这种味觉上的变化，所以冰咖啡与热咖啡的制作方法是不同的。制作冰咖啡时，需要用烘焙程度高且卡内弗拉种的混合比例高的咖啡豆，这样就可以弱化酸味、强化苦味。

用热水冲咖啡时，一般会冲得浓一些，并将咖啡液直接浇到冰块上，这样做既达到了冷却的目的，也对咖啡进行了稀释。当然还可以用水冲式进行制作。

冰咖啡的优点是温度低，咖啡风味持续的时间长，如果放到冰箱中冷藏，味道可以保持几小时不变。

热水
萃取

冷却

冰

味觉的温度特性

	冷	温
甜味	↙ 不容易感觉到	↖ 容易感觉到
苦味	↙	↖
酸味 ★	↗	↙

★ 有报告显示,
酸味对温度
的依赖性小.

Q 39 为什么要研磨咖啡豆？怎么区别咖啡粉颗粒大小的种类和使用？

通常我们会将买来的咖啡豆磨碎后使用，这是为了方便提取咖啡豆中的有效成分。磨碎的咖啡豆，表面积会增加1000倍左右，这样，我们只用几分钟就能做好一杯咖啡。

想把咖啡豆磨到什么样的程度，就把咖啡磨（粉碎机）设定到相应的档位再研磨就可以了，调节与操作都非常简单。粗磨粉的颗粒要比原糖的颗粒大，中度粉的颗粒和砂糖颗粒差不多大，中度偏细的颗粒大小介于中度粉与细磨粉之间，细磨粉的颗粒大小介于绵白糖和砂糖之间，极细粉的颗粒比细磨粉的颗粒要小。

咖啡粉颗粒的大小，对溶解方式与过滤速度都有很大的影响。所以，我们要根据器具和萃取方法选择合适的颗粒。我比较倾向于以下的用法：极细粉主要用于意大利浓咖啡；细粉主要用于简易萃取型（把一杯份的粉放入滤纸，然后将其挂在杯中）；中度偏细和中度粉主要用于滤纸滴漏式和虹吸式；粗磨粉可用于法式压力壶。

● 研磨方法和颗粒大小

粗磨粉	比粗砂糖颗粒大
中度粉	与砂糖颗粒一样
中度偏细	介于中度粉与细磨粉之间
细磨粉	介于砂糖颗粒与绵白糖颗粒之间
极细粉	比细磨粉的颗粒要小

以上参考自日本咖啡公正交易协议会的《研磨的基准》

Q 40 研磨咖啡豆有什么技巧？

自己在家里研磨咖啡豆，最大的好处是可以现磨现用。我就是个例子，我经常先准备好煮咖啡的器具，在烧开水之后，才开始研磨咖啡豆。

咖啡粉颗粒的大小，不光对溶解方式与过滤速度有影响，对咖啡的风味也有很大的影响。因此，怎样研磨咖啡豆就显得非常重要了。理想状态是研磨得很均匀，更简单地说，就是将咖啡豆都研磨成一个样子，但是这实现起来难度很大。到底是使用价格高昂的高精度设备好，还是将磨好的咖啡粉过一下筛子好呢？

自己在家里磨咖啡粉时，要尽可能避免微粉的出现（指非常细的咖啡粉，而意大利浓咖啡除外，它的萃取原理不同，所以可以用细咖啡粉）。理由之一是，同样重量的咖啡粉，颗粒越细，咖啡粉的表面积越大，冲出来的咖啡也就越浓；理由之二是，咖啡粉颗粒越细，过滤的时间就越长，会增加不必要的萃取时间；理由之三是，咖啡粉太细会导致一些不应该出现的成分也被萃取出来，控制起来很难。

产生微粉的程度与咖啡磨的种类有关。首先，我们要了解自己使用的咖啡磨产生微粉的量。然后，我们可以按照平时的方法研磨，再用茶筛或面粉筛将微粉筛掉。

如果咖啡磨是可调节的，我们就可以将其设定到比平时研磨的颗粒大一些的档位，这样产生微粉的量就会少一些。如果咖啡粉颗粒整体变大，咖啡成分的溶解会更难，那么想要冲出同样浓度的咖啡，就不得不增加咖啡粉量。如果咖啡磨是不可调节的，或者调节之后微粉量也没有减少，那么也可以用茶筛筛一下。

同时，你需要注意咖啡磨的清洁问题。如果不及时清理咖啡磨中的微粉，就会影响下一次使用，微粉是很容易变质的，长时间不清理，就会散发出难闻的味道。

选择怎样的咖啡磨，才能做出美味的咖啡呢？从下面这个章节开始，我将给大家详细地讲解咖啡磨的知识。

Q 41　咖啡磨都有哪些种类呢？

咖啡磨的种类很多，有手动的、咕噜咕噜磨半天才能磨出一杯份咖啡粉的小型机，还有电动的、1小时就能磨出1吨粉量的大型机。咖啡磨的特性由构造决定，在这里，我会按照咖啡磨的构造进行分类讲解。

咖啡磨研磨部分的构造分为以下几种类型：轧辊式（Roll grinder）、平面刀片式（Flat cut）、锥形刀片式（Conical cut）和桨叶式（Blade grinder）。

轧辊式，就是通过调整两个螺旋状刀具（表面有刃）的间距，来控制咖啡粉颗粒的大小。

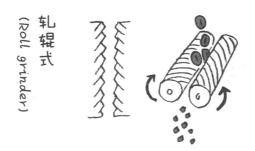

平面刀片式与锥形刀片式都是旋转的刀具（旋转齿轮）和固定的刀具（固定齿轮）配合运作的构造，摇动摇臂就可以带动刀具旋转，通过调整刀具之间的缝隙，可以控制咖啡粉颗粒的大小。

浆叶式是通过旋转刀片来切碎咖啡豆的。浆叶式没有调整咖啡粉颗粒大小的功能，所以只能通过控制时间的长短来大致掌控咖啡颗粒的大小。

下一节开始，我将分别介绍这4种咖啡磨各自的特点。

Q 42 轧辊式咖啡磨的特点和使用诀窍是什么？

轧辊式（Roll grinder）咖啡磨的特点，是能快速地加工出质地均匀的咖啡粉。而且，此款咖啡磨的摩擦生热相对少，1小时能加工出1吨左右的粉量，是工业用咖啡磨的首选。

不同的生产商制作的轧辊式咖啡磨的刀具形状不一样，加工出来的咖啡颗粒形状也不一样：有长方形带棱角的，也有球形没有角的。所以同样重量的咖啡粉体积也有一定的差别。但这种机型研磨速度快，且在加工均匀度上也明显优于其他类型。

轧辊式咖啡磨在粉碎咖啡豆的过程中会将咖啡豆与银皮分离。银皮是包裹在咖啡豆表面的薄皮，由于银皮的一部分长在生豆里面，所以只能在粉碎这一步骤将其剥离。有的机型的咖啡磨可将剥离的银皮与咖啡粉分离，有的机型做不到，加工出来的咖啡粉会混有银皮的碎屑。银皮碎屑到底对咖啡的味道有没有影响？目前这个问题还有争议，不过我个人认为没有什么影响。我对不同的机器、不同的人都进行过测试，得出的结论是：即使有银皮碎屑混入，咖啡的风味也没什么差异。虽然银皮与咖啡粉的成分不同，但因为量极少，所以不能构成对咖啡味道的影响。

适合用于大产量的轧辊式咖啡磨，使用时要注意以下几点：第一，长时间加工后，要进行微调。虽然此款机型不易于摩擦生热，但在连续运转 30 分钟的情况下，刀具之间的间隙还是会发生一定的变化。第二，要控制粉碎的速度。如果倒入咖啡豆的速度过快，咖啡粉颗粒的均匀度（颗粒整齐度）就会下降。如果你很重视咖啡粉颗粒的均匀度，可以用推荐速度的七八成来加工，这样质量就有保证了。

最近，不管是咖啡专卖店还是磨咖啡豆的小店，都会选择轧辊式咖啡磨。确实，这是咖啡磨的理想机型，但是在家庭使用时，并不会重视长时间使用会摩擦生热的问题，而且这款机型的价位又非常高，所以它并不适合家庭。虽然用平面刀片式（Flat cut）咖啡磨制作咖啡粉的均匀度稍微差些，但对家庭来说已经足够了。

银皮
咖啡豆表面的薄皮，与花生表面的薄皮类似。

筛一下烘培后的咖啡豆，可以去掉银皮碎屑。

刀具形状

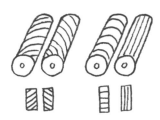

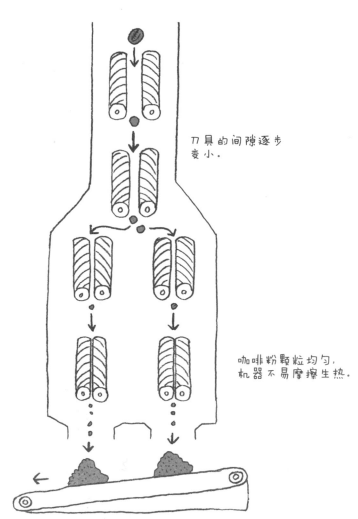

刀具的间隙逐步
变小。

咖啡粉颗粒均匀,
机器不易摩擦生热。

Q 43 平面刀片式咖啡磨的特点和使用诀窍是什么？

虽然说平面刀片式（Flat cut）咖啡磨是专卖店与家庭普遍使用的电动咖啡磨，但在专业领域中，平面刀片式不是普及率最高的类型。

平面刀片式的刀有陶瓷制和金属制两种。金属制的刀具又分为两种：圆润的铸造成形和锋利的机加工成形。刀具形状不同，加工出的咖啡粉颗粒形状与均匀度（颗粒整齐度）就不同。而且，平面刀片式的研磨齿有横向和纵向两种，所以加工出的咖啡粉颗粒形状与均匀度也不一样。

由于刀具的材质、形状、组装方式各不相同，所以平面刀片式咖啡磨的品种繁多。用这种机型加工出的咖啡粉，品质差异很大，有专业用和家庭用之分。专业用的价格高、结实、粉碎速度快，比家庭用的性能好。不过，我对这种机型的咖啡磨进行过数据分析，发现无论是专业型还是家用型，加工出的咖啡粉均匀度没有什么差异。与此相比，刀具的组装位置对咖啡粉的均匀度倒是有一定的影响，横向的刀具加工出的咖啡粉，微粉量要稍微少一些。

虽然都叫平面刀片式，但也分为刀具较钝的磨盘型与刀具较锐利的切割型两种。很多人认为，切割型的优点是比磨盘型产生的摩擦热少，确实，刀具的形状变了，咖啡的风味也会改变。咖啡颗粒的均匀度变化了，咖啡粉的表面积就会变化，冲泡出的咖啡香味与浓度当然就会不一样。

在比较咖啡磨时，如果不能用表面积完全一样的咖啡粉进行对比，那么得出的结果是站不住脚的。目测起来颗粒大小差不多的咖啡粉，表面积可能完全不同。在这种情况下，咖啡风味的差异就不一定是刀具摩擦生热的结果了。我个人认为，只要咖啡磨不连续运转10分钟以上，摩擦生热造成的影响是很小的。我曾经将表面积相同的咖啡粉进行冲泡对比，结果发现香味与成分几乎没有变化。

- -

Q44 锥形刀片式咖啡磨的特点和使用诀窍是什么？

Conical 是"圆锥状"的意思。锥形刀片式（Conical cut）咖啡磨有手动和电动两种。

手动式

转动咖啡磨的摇臂，发出咕噜咕噜磨豆子的声响，这是电动咖啡磨无法体会到的乐趣哦。虽然加工起来比较费时，但是在这期间，你能闻到若隐若现的咖啡豆香味，这种美妙的感觉也是咖啡的迷人之处。

对于这一机型的不同构造与磨出咖啡粉的均匀度，我有一些使用体会。比较一下主轴上下双点固定或单点固定的这两种机型，我们会发现，固定一处的机型磨出的咖啡粉，均匀度要差一些。即使是同一个咖啡磨，摇臂的速度不同，咖啡粉的均匀度也不一样。要是追求稳定的质量，在磨咖啡豆时要尽可能保持匀速。

电动式

锥形刀片式的调节装置是螺杆式，不是刻度盘式，这样调节起来比较柔和，没有明显的档位感。因为这个特点，所以锥形刀片式咖啡磨多用于制作意大利浓咖啡。在制作意大利浓咖啡时，如果压力发生变化，味道就会变化，而且咖啡粉颗粒的大小与形状对压力都有影响，所以说意大利浓咖啡是对咖啡粉状态很敏感的一种萃取方式。

最近，意大利浓咖啡一下子流行了起来，无论在家庭还是商务场所，都广受人们推崇，所以，锥形刀片式咖啡磨在市面上也多了起来。

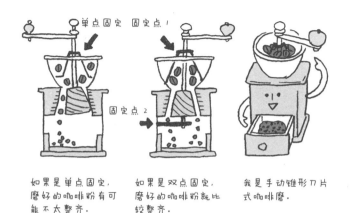

如果是单点固定，磨好的咖啡粉有可能不太整齐。

如果是双点固定，磨好的咖啡粉就比较整齐。

我是手动锥形刀片式咖啡磨。

Q45 桨叶式咖啡磨的特点和使用诀窍是什么？

桨叶式（Blade grinder）咖啡磨主要用于家用。这种类型的咖啡磨价格便宜、体积小、好清洁，但缺点是不能调节咖啡颗粒的大小，咖啡粉的均匀度（颗粒整齐度）非常差，超大颗粒和微粉比率比其他机型要多得多。虽然不同厂家的桨叶形状各有差异，但效果都差不多。因此，很少有专业人士推荐这一款咖啡磨。如果多加点钱，你就能买到均匀度与稳定性好得多的平面刀片式（Flat cut）与锥形刀片式（Conical cut）的咖啡磨。

不过，如果在使用方法上注意一下，也可以改善这一类咖啡磨的缺点。有以下两点需要注意：第一，一边摇晃一边粉碎，这样粉碎的均匀度会提高（虽然说提高，但还是远远不及平面刀片式与锥形刀片式）。第二，如果要去除产生的微粉，可以用面粉筛或茶筛筛一下。大量的微粉会损害咖啡的味道，但如果将这些微粉全都去掉，那咖啡原本的味道又会变得面目全非。

因为咖啡磨是使用寿命较长的器具，所以我还是希望大家尽可能选择平面刀片式与锥形刀片式。桨叶式咖啡磨是不能调节的，所以每次粉碎的程度不易保持一致。如果你不太追求每次的一致性，那么选择它也可以。当然，即便用桨叶式，也可以冲泡出美味的咖啡来。

Q46 我该买哪一种类型的咖啡磨？

很多人都问过我这个问题，这也是我最喜欢听到的问题。因为我一直认为，要想冲泡出一杯美味的咖啡，首要的事情就是磨咖啡豆。现在，世界上的咖啡制品中七成以上是咖啡粉，我真希望，有一天咖啡豆也能占到销量的七成。如果使用咖啡粉冲咖啡，就少了磨咖啡豆的趣味，真是非常可惜啊。

选购咖啡磨的时候，我们需要考虑预算、用途、目的、使用频率、大小、操作性等因素。如果预算有限，你可以把手动型的锥形刀片式（Conical cut）和桨叶式（Blade grinde）作为备选。手动型的锥形刀片式咖啡磨有体积小、咖啡粉均匀度较高的优点，但是操作起来比较费时。桨叶式咖啡磨也有体积小的优势，而且操作简单省时，但是加工出的咖啡粉均匀度差，很难保证冲泡出味道稳定的好咖啡。

如果你的预算比较充裕，那么就可以把电动的锥形刀片式与平面刀片式（Flat cut）作为备选。一台电动的锥形刀片式或平面刀片式的价格起码是桨叶式的两倍，而且每台机器的操作性和咖啡粉均匀度也不一样，所以在购买之前最好先调查一下，可以在店里让店员演示，也可以到网上询问其他使用者的真实感受。

也有咖啡从业人士问过我同样的问题。如果你开的是咖啡店或销售咖啡粉的店铺，还是应该以平面刀片式为主要备选，选择时既要考虑到磨粉的速度不能给客人造成心理压力，同样还要考虑到日常维护的便利性。针对不同的咖啡磨，清扫与零件更换所用的时长也有区别。如果用的是专业的意大利浓咖啡机，那么就要以磨极细粉见长的锥形刀片式作为候补机型。在制作意大利浓咖啡之前，一定要进行测试。因为即便咖啡粉颗粒的差异很微小，也会影响最后的味道。

Q47 怎样才能保存好咖啡？

市面上大都会把咖啡豆、咖啡粉封入塑料袋进行销售。很多人觉得，包装袋就是袋子而已，有一些水蒸气、氧气之类的很正常。这些"正常的事情"恰恰是专业人士最害怕的，一般会称它为"气体阻隔（Gas Barrier）性低"。

如果想长时间保存咖啡，那么就要选择正确的包装材质。如果包装袋中的氧气、水分没有去除干净，或者材质的气体阻隔性低，那么就不要买得太多，更不要想它能存放很久，要尽快喝完。除了咖啡粉外，在选购咖啡豆时，也要注意这一点。

如果包装袋中去掉了氧气和水分，材质的气体阻隔性高，那么，即使将咖啡放入冷冻室保存好几个月也不会变质。而且保存温度越低，保鲜度越高。冷藏的咖啡制品，要完全恢复到常温才能食用，冷藏的温度越低，恢复到常温所需的时间就越长。一般情况下，冷冻的咖啡制品要在常温下放置 30 分钟，才能打开包装。

如果没放到常温状态就打开包装，会发生什么呢？将冷冻的咖啡豆按照平时的方法粉碎、冲泡，萃取时的温度就会比平时低，咖啡的口味就会变淡，香味也比平时弱。而且，袋中的咖啡豆劣化速度会更快。从冰箱里拿出来的咖啡豆，表面会结霜，如果这时打开袋子，咖啡豆中的水分会一下子增多。即便仅仅是打开袋子，取出咖啡豆就把袋子系上，咖啡豆中也会增加 1% 的水分。原本你想长期保存，可由于保存不得当，反而加速了咖啡豆的劣化。

一次买入很多咖啡豆的时候，要选择可以长时间保存的小包装制品。除了最近准备喝的之外，剩下的都要放进冷冻室。喝完一袋之后，再从冷冻室拿一袋放到常温下，尽可能要避免放在荧光灯、紫外线、温度高的环境。记住，开封后要尽快食用。

● 所谓的咖啡产业的可持续性是什么呢？

可能由于人们越来越关心很多事物的"可持续、可持续性"，最近我听到这类词汇的频率越来越高。

咖啡产业中的可持续性指的是，以保护好人和动植物所处的生态环境为前提，使咖啡及其相关产业能够健康发展，让人们能够一直享受咖啡带来的快乐。

保护好孕育咖啡的种植环境，说到底就是保护好地球的生态环境。只有大家认识到这一点，从事咖啡产业的人才会在工作中感受到喜悦，这才是对辛勤劳动给予的相应回报。我们有必要让生产咖啡的劳动者感受到快乐，只有这样才能保证高品质咖啡的出品。

可持续性的咖啡产业近年来逐渐被消费者接受，消费者对其认知程度越来越高。先有一个正确的认识，而后才能付出具体的行动，这样咖啡所带来的乐趣就能延续下去。

我的工作就是将"一杯咖啡的价值"正确地传达给每一个人。对我来说，"可持续性"是非常重要的概念。每个爱咖啡的人都应该明白——从一棵小小树苗开始，中间经历了无数劳动者的辛劳，最终才会有我们手中端着的这杯香醇的咖啡。

④ 了解咖啡的加工

——生豆的处理、烘焙、混合、包装

Q48 水分越多的生豆，新鲜度越高吗？
颜色越绿的生豆，新鲜度越高吗？

生咖啡豆的成分中，恐怕只有水分给人们造成的误解最多，一直以来关于咖啡水分的各种说法也非常多。比如，"水分 = 新鲜""水分越多 = 咖啡生豆越绿""咖啡生豆越绿 = 新鲜"等。

这些说法都是错误的。

水分多 = 新鲜？

如果生豆中的水分会随着时间的推移不断减少，那么"水分多 = 新鲜"这个说法就是正确的。实际上，咖啡生豆中含有的水分是时而增加、时而减少的，就像木材中的水分一样，会随着外界湿度的变化而变化。

生咖啡豆周边的湿度大，它就会吸收水分，周边的湿度小，水分就会减少。即使是在同一个地方保存，梅雨季节时，生豆中的水分会增加，而到了冬季，水分就会减少。另外，含水量也会受到产地的影响，采摘下来的生豆由于产地不同，含水量会有 3%~4% 的差异。

水分越多 = 咖啡生豆越绿？

如果精选后没有耽搁时间，咖啡生豆又来自同一个产地，那么这个说法在一定程度上是对的。但是，如果受到环境、人为等因素影响，这种说法就很难成立了。不同产地生豆的含水量是不同的，例如，非洲产的咖啡生豆，即使水分含量在 10% 以下，颜色也非常绿。中美洲产的生咖啡豆，如果水分含量没达到 12%~13%，颜色就没有那么绿。

生咖啡豆越绿 = 新鲜？

这个理论本身就有破绽。例如，如果由 A 能推导出 B，且由 A 也能推导出 C，但这并不表示由 B 能推导出 C。就好比早上醒来肚子饿，早上醒来要去上班，但这并不表示肚子饿就要去上班。

生豆的水分并不会直接影响咖啡的味道，颜色也不会，不需要过于在意。如果因为这些次要的因素，而给咖啡的质量打了低分，那未免就太可惜了。

Q49 咖啡生豆有的色泽亮丽，有的色泽暗淡，对味道有影响吗？

有的生豆表面会像打过蜡一样充满光泽，而有的表面则没有光泽，比较粗糙。生豆有光泽是由于其表面有蜡层，这是由咖啡生豆自身的组织结构决定的，而生豆的产地和品种又决定了蜡层的程度。另外，除了"精选工程"对光泽度有影响外，如果使用有研磨功能的脱壳机，那么生豆就会显得更加熠熠放光。

完全没有光泽的生豆，可能是因为被研磨过度，导致了生豆表面的蜡层缺失，要么就是在产区的"精选工程"中发生了问题。

生豆表面是否有光泽，对烘焙后咖啡豆的外观会有影响。没有光泽的生豆在烘焙之后也没有光泽，咖啡豆会显现熏黑的颜色。为了让咖啡豆显得"好看"，有人会给生豆涂上油脂。其实，无论生豆的色泽是暗还是亮，形成咖啡风味的主要成分都相差无几。

不管你是直接购买生咖啡豆，还是买烘焙过的咖啡豆，只要可以看到实物，就要尽可能避免选购无光泽的生豆。当然，如果买的是咖啡粉，就无所谓是不是有光泽了。

因此，根据购买方式的不同，选择咖啡生豆的注意点也不同。生咖啡豆是否有光泽、豆子颗粒是大是小，这些都对咖啡的风味几乎没有影响，如果你购买的是咖啡粉，在选择原料时仅仅因为光泽度差就放弃了原本品质上好的生豆，那样就太得不偿失了。

- -

Q50 所谓新豆、老豆的豆子是怎样的？

新豆指的是当年收获的咖啡生豆，老豆则是指将收获的咖啡生豆放在特定的温湿度环境中保存，少则几年，多则几十年，让豆子一点点慢慢地发生变化，这种方法就叫作"老化"（aging）。

豆子中的成分，随着时间一点点流逝，会逐渐发生变化。通常咖啡生豆在烘焙后会变为褐色，即便是不进行加热，这种褐色化的现象也会发生在生咖啡豆上，这就是刚才提到的"老化"。豆子经过长时间放置，颜色会由最初的绿色变为淡淡的褐色。

让生咖啡豆逐渐老化的方法，在很多国家的古老文献中都曾提到过，但是，为什么要让豆子一点点老化呢？推崇老豆的人们认为，经过老化的豆子味道比较柔和，经调查后发现确实如此。因为形成咖啡风味的糖类和绿原酸类会在老化的进程中逐渐流失，所以味道自然会变得柔和。

但是，如果一开始选择的生豆的味道没有特色，那么经过"老化"后，味道就会更加单调。所以，一般被选择用来老化的生豆，都是新豆中味道特色很鲜明的生豆。实际上，不经过数年的老化，谁也不会知道最后的结果，有的咖啡生豆会在老化过程中，味道流失得太多，失去原有的商品价值。

可以说老豆是人工与时间共同精心筛选的结果。一般来说，收获后一年内的生咖啡豆会有一种特有的类似于陈米的味道，而经过"老化"的咖啡生豆，不会有刺鼻的味道，散发出柔和的醇香。从这点来看，这种方法确实不可思议。

说到这里有人会问，新豆与老豆的豆子到底哪一种更好呢？这两种豆子有着截然不同的味道，但它们不存在孰优孰劣的问题，区别只在于个人喜好的不同。我自己很喜欢新豆，也很享受品质优良的老豆所带有的独特香味。

- -

Q 51 生咖啡豆真的需要清洗吗？

剥好的生咖啡豆装袋后被运送到各地，这种方法可能确实不太干净，甚至有的生豆表面还有水渍或泥渍。

如果仔细检查生豆表面那些肉眼看不到的微生物，会发现每1克生咖啡豆上就有1万个左右的细菌。

不过，这也并不代表生咖啡豆就必须清洗，因为一经过烘焙，大部分的灰尘就会脱落，而烘焙时的高温几乎能杀死所有微生物。

反倒是清洗过的生咖啡豆有两点需要注意。第一注意不要用水泡太长时间。在水里泡的时间太长，构成咖啡风味的诸多成分就会流失；第二注意适度干燥。干燥时间太长，就容易滋生霉菌，干燥时间太短，又会出现干燥不匀，从而导致烘焙不匀。如果一定要清洗，那么我建议快速清洗，适度干燥，然后尽可能快地用完这些生豆。

另一方面，我又有一个矛盾的想法，希望那些销售咖啡的人能够认识到生咖啡豆并不干净。为什么这么想呢？因为生咖啡豆、包装它的麻袋与烘焙好的咖啡豆的卫生要求是不一样的。将烘焙好的咖啡豆放在生咖啡豆的麻袋旁，或将装生咖啡豆的麻袋敞开放着，这些是家庭式烘焙店中很常见的现象。虽然不需要把咖啡豆弄得跟展品一样干净漂亮，但至少应该知道那样做不卫生。

在业界，很少人能将咖啡当成"食品"来对待——哪种食品行业会将客人入口的东西随便用手抓来抓去？会把食品与不卫生的东西放在一起？这是意识问题，这种意识问题会给大家带来危害。生豆或麻袋上的灰尘，容易诱发过敏，让过敏体质的人身上起红斑。因此我认为，为了让消费者放心地食用咖啡，每一个咖啡的从业者都应该提升咖啡豆的卫生意识。

Q52 生咖啡豆能够长期
保存吗？保存的诀
窍是什么？

　　生咖啡豆和烘焙豆相比，保存时间要长。有专业人士认为，如果
是生咖啡豆，什么时候用都可以。是的，有的老豆收获后可以放置数
十年之久，但这并不代表"生咖啡豆放很久也没关系"。由于生豆的状
态会发生变化，所以要注意以下几点：

　　第一，精选之后形成的咖啡，风味很难一成不变。构成生咖啡豆
风味的主要成分，会逐渐发生变化。有的是因为咖啡豆发霉，有的是
因为各种成分发生了化学反应。

　　第二，保存环境对生咖啡豆的影响非常大。生咖啡豆中成分变化
的速度，会受到环境的影响，且受温湿度的影响最大。温度升高会促
进变化，温度降低会抑制变化。如果长期保存在温湿度高的地方如集
装箱（没有空调功能、温湿度变化很大的集装箱）中，就会促进生咖
啡豆成分的变化。夏天梅雨季节的温湿度高，生咖啡豆不容易保存，
也是这个道理。为了避开这样的环境，保存新豆的风味，人们会用空
调集装箱（有空调功能的集装箱）来运送生咖啡豆，也有的国家会用
恒温仓库来保管，这样保鲜效果就好多了。

　　现在很多人都知道，温度低对生咖啡豆好，所以夏季有越来越多
的家庭式烘焙店会利用空调屋来保存生咖啡豆。但是这里还有一个问
题，就是湿度。如果室内的温度比室外低，室外温热的空气进入室内，
室内的湿度就会大幅度提高。这样，生咖啡豆中的水分会增加，豆子
就会变软、发霉。每年夏天都会有朋友咨询我生豆保存的问题，如
"生咖啡豆的样子怪怪的""味道很奇怪"等，切记——在控制温度的
同时，也要严格控制好湿度。

Q 53 哪里可以买到生咖啡豆？购买时要注意什么？

生咖啡豆的购买途径有很多种。如果购入量非常大，可以直接从进口商处购买。如果购入量较小（10公斤左右），也可以从小批发商处购买。但是，大的进口商也好，小的批发商也罢，都有可能不卖给个人。如果只是家庭用，量非常少，可以去家庭式烘焙店，或通过网上购买。

上世纪90年代，我开始对烘焙产生浓厚的兴趣。那时我还是学生，市面上很少能见到生咖啡豆，几乎看不到销售生豆的店铺。而如今，生咖啡豆却有商业用和家庭用等多种选择，选购的时候可能还会被问"想要哪种类型"。

选择商业用生咖啡豆供应商的基准是，生豆的价格、品种数量、供应能力、质量高低、品质稳定性、是否促销等因素。

选择家庭用的生咖啡豆供应商时，最好将店铺的销售特色作为评判标准。这不光是指价格与质量上的差异，还有是否重视客户的咨询、品种是否丰富、是否专售新豆等各种因素。

对于烘焙经验少的新手来说，选择服务态度亲切、愿意传授知识的店铺，自己长进就快，而且我认为，选择稍微放了一段时间的生豆要比"新豆"的生豆更容易烘焙。有一定经验的人往往会把能够提供适合自己口味的、价格合理的生豆，提供咖啡相关的丰富信息等因素，作为选择店铺的基准。

由于工作的关系，或者说是自己喜好的原因，我从各种途径都买过生咖啡豆。虽然我深切地感受到，生咖啡豆的销售已经发展到网络上，不过以家庭为主要对象的销售还是非常少。另外，市场上很多生咖啡豆，无论怎么烘焙，味道也不能恰如人意。如果你在家烘焙，为了做出喜欢的口味，除了必要的烘焙技能外，还要有挑选生咖啡豆的能力。如果能直接找到一家满足自己要求的店铺，那就再方便不过了。

咖啡从来都是烘焙后饮用的吗？
Q 54 聊一聊咖啡豆的烘焙史吧。

据说，最初生咖啡豆是不经过烘焙、直接煮了就喝的。对咖啡豆进行烘焙，是从公元15世纪左右开始的。

在公元19世纪前，烘焙咖啡豆和做饭一样，是家庭主妇的职责。这种方法传播到欧洲后，许多的美食研究者发表了诸多的烘焙理论。到了19世纪，烘焙逐渐变得职业化，也慢慢形成了专门进行烘焙的工厂。但是，当时烘焙机的生产能力极低，还不能进行大规模的烘焙生产。

进入20世纪后，烘焙工业才发展起来。为了提高生产效率，不光要提高一次的烘焙量，还要缩短单次的烘焙时间，因此对烘焙室（生豆放入的地方）直接加热的机型就显得效率低了，这种机型如果火力太旺容易造成烧焦或烘焙不匀。为了解决这个问题，有人发明了热风式烘焙机，这种机型既能让热源远离烘焙室，也能将其产生的高温热风快速送往烘焙室，这样既解决了烧焦与烘焙不匀的问题，又加快了烘焙速度。之后不久，人们又发明了一款热效率更高的烘焙机。

现在，烘焙机越来越贴近大众消费者。应消费者的要求，越来越多的店铺也会将烘焙操作展示给大家看。一方面，这样做并不费时，另一方面，看着自己选的生豆在烘焙过程中一点点地着色，也能给消费者带来强烈的视觉满足感。市面上，无论是供消费者参观的烘焙机还是家庭用的小型烘焙机，都是热风式机型，虽然这一类的烘焙机并不能给咖啡产业带来什么变革，但它们却能让咖啡产业更贴近消费者，让人们体会到更多咖啡的乐趣。

咖啡豆有哪些烘焙程度？
烘焙程度不同会让味道产生
Q55 怎样的变化？

随着烘焙的深入，生咖啡豆的颜色也由茶色变为黑色。用来表示咖啡豆烘焙程度的指标叫作"烘焙度"，一般用咖啡豆的颜色来区分。

现在我们常说的烘焙度，由浅到深的顺序是：轻度烘焙、肉桂式烘焙、中度烘焙、中深度烘焙、城市烘焙、全城烘焙、法式烘焙、意大利式烘焙。这些名称参考了美国对咖啡豆烘焙度的命名：Light、Cinnamon、Medium、Medium high、City、Full City、French/Dark、Italian/Heavy，不同之处是，美国还有如 New England（介于 Light 与 Cinnamon 之间）、Viennese 或 Continental（介于 Full City 与 French 之间）还有 Spanish（比 Italian 还要深）等名称。

烘焙度与咖啡的风味有着紧密的联系，烘焙程度不一样，味道也不一样，无论哪种咖啡，只要烘焙度增加（深度烘焙），酸味就会变弱，苦味就会增强。因此烘焙度也是判断咖啡味道的一个标准。但是不同种类的咖啡豆，随着烘焙程度增强，味道变化也不同。对卡内弗拉种咖啡豆来说，即便是轻度烘焙，酸味也不会很明显。如果是高海拔产地的阿拉比卡种，就算是深度烘焙，也会有酸味残留其中。

轻度烘焙也好，中度烘焙也罢，无非是表示烘焙程度的一个大致标准。怎样称呼烘焙好的咖啡豆，只是制作者主观的判断。一些店里"城市烘焙"程度的咖啡豆，可能在另一些店里就是"法式烘焙"，这种情况在业界很常见。

日本的烘焙度的称呼

轻度烘焙	肉桂式烘焙	中度烘焙	中深度烘焙	城市烘焙	全城烘焙	法式烘焙	意大利式烘焙

浅烘焙 ────────────────────────────────→ 深烘焙

美国的烘焙度的称呼

Light	New England	Cinnamon	Medium	Medium high	City	Full city	Viennese／Continental	French／Dark	Italian／Heavy	Spanish

浅烘焙 ────────────────────────────────→ 深烘焙

Q 56 烘焙机是什么样的机器？

烘焙机是用来烘焙咖啡豆的专用机器。在这一节中，我将对构成它各部分的名称和用途做简单的说明。

烘焙室

放入生豆、进行烘焙的地方，有滚筒状、非滚筒状之分。滚筒状的烘焙室又分为壁上有孔和无孔两种类型。有孔和无孔的烘焙室的加热法与保温性不同，即使用同样方法加热，咖啡豆的升温方式也不同，所以形成的咖啡风味不一样。非滚筒状烘焙室的形状种类繁多，无论哪种，都可以将咖啡豆搅拌均匀并在短时间内完成烘焙。

制气阀

由于烘焙咖啡豆时会产生大量的烟，所以需要将这些烟排出，调整烟的排出量的阀门就叫作制气阀。制气阀不仅用于烟的排放，也用于调整烘焙室内热量的多少。通过调整热源的火力，可以改变温度上升的方式，但却不能将温度降下来，而制气阀则可以将温度降下来。保持稳定的烘焙水平的关键，就是让咖啡豆的升温方式稳定，制气阀则起到了辅助调节温度的作用。

冷却机

当烘焙程序进入尾声时，由于发热反应，咖啡豆自身会噼里啪啦地跳动，此时如果不尽快制止，那么烘焙程度就会比预先设定的深。冷却机就是用来制止烘焙豆的发热反应，防止豆子温度继续上升的装置。用风机将热吸出，再吹入冷风，可以使咖啡豆降温。单次烘焙量达到 100 公斤以上的大型烘焙机，冷却速度慢，为了尽快降温，可以用喷入水雾的方法冷却。

温度计

主要目的是用于测量烘焙过程中咖啡豆的温度。但是，实际测量的并不是咖啡豆的温度，而是烘焙室内的温度。人们可以通过这个测量结果，来推测咖啡豆的温度。

压力计

用燃气进行加热的烘焙机的附属部件，用于调整火力大小。燃气压力越高，火力越强。

取样勺

用于确认烘焙状态的细长铲状部件。平时插入到烘焙室中，拔出后可以取出一些烘焙豆样品。

补燃器

将烘焙过程中产生的烟进一步燃烧并使其消失的装置。烘焙的时候如果排出大量烟雾，会对环境造成影响，此时就必须安装这个装置。

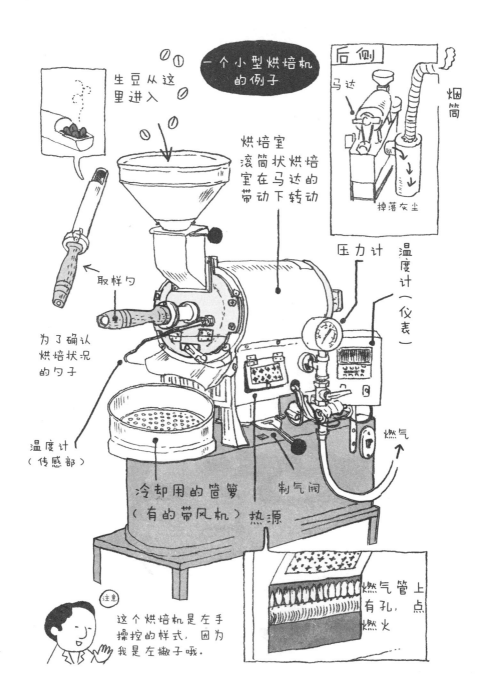

一个小型烘培机的例子

生豆从这里进入

烘培室
滚筒状烘培室
在马达的带动下转动

后侧

马达

烟筒

掉落灰尘

取样勺

压力计

温度计（仪表）

为了确认烘培状况的勺子

温度计（传感部）

冷却用的笸箩（有的带风机）

制气阀

热源

燃气

燃气管上有孔，点燃火

注意 这个烘培机是左手操控的样式，因为我是左撇子哦。

Q 57　烘焙机有几种类型？
　　　各自的构造是什么样的？

　　现在使用的烘焙机，构造上一般分为3种——直火式、半热风式、热风式。

直火式

　　滚筒状的烘焙室中，有一种类型的筒壁上有多个直径几毫米的孔（孔的面积占烘焙室筒壁表面积的1/3），烘焙室的下方有热源。如果用炭或陶瓷作为热源，筒壁会把一部分的红外线反射出去，红外线能够透过小孔进入烘焙室，将热量传给咖啡豆。这种导热方式叫辐射。

半热风式

　　这种滚筒状烘焙室的筒壁没有小孔，热源在滚筒的下方，此时先要将烘焙室加热，再将热量传递给里面的空气，以此来烘焙咖啡豆。由于热量是分阶段传递给咖啡豆的，所以改变火力后，豆子的温度变化比直火式或热风式要慢。

热风式

　　这是不直接对烘焙室进行加热的类型。热源离烘焙室有一段距离，机器会将加热好的热风吸入到烘焙室内。它的特点是，即使火力很强，咖啡豆也不会被烤焦。

　　只要提高热风的温度和风速，就很容易将热量传递出去。所以热风式烘焙机比直火式和半热风式的烘焙速度都快，最快的两三分钟左右就能完成烘焙。

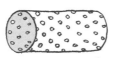

直火式

烘焙室上有孔

热源

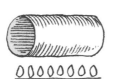

半热风式

烘焙室上没有孔

热源

热风式

热风从别的
地方吹来

★也有筒壁有孔的

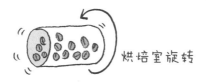

烘焙室旋转

Q 58　豆子在烘焙机里
是怎么加热的?

将生咖啡豆放入烘焙室之前，要对烘焙室进行预热，加热 10 分钟后，才能放入生咖啡豆。如果是连续烘焙，那么只需要预热一次，此后由于烘焙室已经变热，就不需要再次预热了。

将常温的咖啡豆放入后，烘焙室里的温度会骤然下降，数分钟内，温度计显示的温度变化会比较迟缓。这是因为生豆预热后，释放出了大量的水蒸气。

然后，随着咖啡豆中水分的消失，温度开始上升。对于烘焙操作来说，此后便进入了非常重要的阶段。由于生豆表面的水分很容易出来，所以表面的温度升高得较快，但是生豆里面的水分则先要移动到表层，才能蒸发出来，这个过程就比较耗时。在生豆里面的水分没有完全蒸发出来之前，如果干燥的生豆表面温度升高过快，那么咖啡豆表面和中心的烘焙进度就会产生差别（只要差别不是特别明显，随着烘焙的进行，咖啡豆的表面、咖啡豆的中心乃至烘焙室的温度都会逐渐趋于一致）。

不久，温度的上升状态就稳定了。随着温度的上升，咖啡豆中的成分开始发生化学变化，一旦咖啡豆表面开始着色，就会有香味飘出，豆子也会一点点地膨胀起来。这些变化都需要足够的热度，为了让变化能顺利进行，就必须持续加热。

当咖啡豆开始噼里啪啦地跳动时，烘焙室温度上升的速度会加快。到了这个时候，咖啡豆自身也开始发热了。伴随着温度上升速度的加快，咖啡豆着色速度也变快了。如果着色速度太快，就很难统一咖啡豆的着色程度（预先设定的烘焙颜色），一般从这个时点开始，会将火力减弱。

咖啡豆达到了预先设定的颜色后，就可以把它从烘焙室中取出，让其迅速冷却。如果在冷却过程中，咖啡豆自身的温度较高，着色就会继续进行，所以将咖啡豆从烘焙机中取出后，要尽快做降温处理。

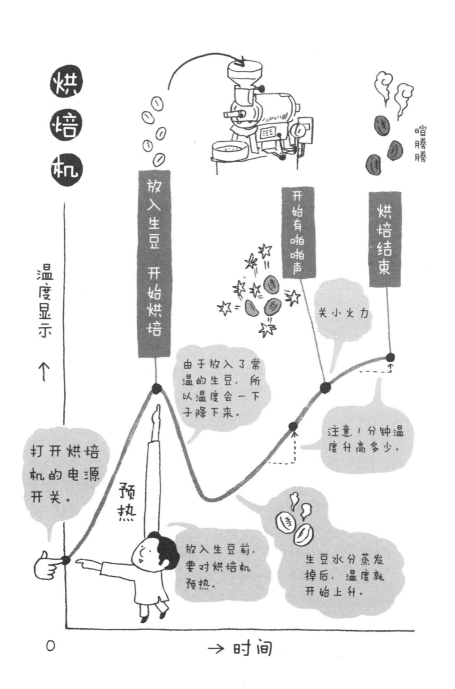

Q59 烘焙中的豆子会发生什么变化？一次爆、二次爆指的是什么？

咖啡中有代表性的颜色、苦味、酸味和香味，都源自烘焙过程中发生的化学反应。随着烘焙的发生而大量减少的成分有糖类、氨基酸、绿原酸类等。氨基酸是颜色、苦味、香味的根源，糖类和绿原酸类是颜色、苦味、酸味和香味的根源。

随着烘焙的进行，豆子的温度开始升高。于是，咖啡豆中的成分就开始发生各种化学变化，也一点点地形成了咖啡豆的颜色、苦味、酸味、香味。此时，豆子中逐渐产生水蒸气和二氧化碳，这些气体使咖啡豆内部的压力增强，于是咖啡豆就膨胀了。由于咖啡豆无法承受逐渐增加的压力，伴随着噼啪的声响，咖啡豆的细胞被破坏，这就是所谓的"一次爆"。迎来一次爆之后，产生的某些成分又开始一边发热一边分解。这个过程中会有气体产生，使豆子继续膨胀。伴随着咖啡豆的膨胀，细胞再一次被破坏，紧接着又会发出噼啪声。这就是所谓的"二次爆""三次爆"。将咖啡豆从烘焙机中取出并强制冷却之后，这种变化才会停止。

咖啡豆一旦膨胀，就不会再缩回去。对同样品种的生咖啡豆进行烘焙时，咖啡豆的大小会决定深度烘焙与轻度烘焙的方式，轻度烘焙的咖啡豆个头要小些。

Q60 烘焙咖啡豆有哪些注意要点？

咖啡的风味很大程度是由生豆自身的特质决定的，我觉得，味道的八成左右基本上在烘焙前已经决定了，而烘焙只是将咖啡豆的特质显现出来的方法。用什么样的烘焙方法，决定了咖啡豆的特质有多少能显现出来。

生咖啡豆经过烘焙后，各种成分发生了化学反应，于是便形成了咖啡的风味。也就是说，发生哪种化学反应，发生到什么程度，到什么程度制止继续反应——这些就是烘焙的要点。

生豆中各种成分的化学反应，会受到温度和时间的双重影响。随着时间的变化，咖啡豆的温度如何上升，上升到多少摄氏度（也就是着色到什么程度）——这两点基本上决定了咖啡的风味。虽然大家都感觉烘焙有一定难度，但其实烘焙的理论是非常简单的。

在烘焙过程中需要特别注意的是"咖啡豆的温度1分钟变化多少摄氏度"。需要注意烘焙中期温度的上升方式，也就是咖啡豆的水分蒸发、温度稳步上升的阶段。还有烘焙后期的温度上升方式，也就是咖啡豆开始噼啪作响的阶段。烘焙时如果试着改变这两个阶段的温度上升方式，也就容易发现温度对咖啡风味产生的影响（如果将每分钟升高的温度提高一倍，观察起来就更明显）。其次，要注意烘焙初期温度的下降方式。如果把生豆放入烘焙机内，将其温度由原先的10℃调整到20℃，就能轻易观察到温度对咖啡风味产生的影响。

烘焙就是"咖啡豆的温度1分钟变化多少摄氏度"的一个连续反应。这种连续反应，需要通过记录每分钟变化的温度来进行掌控（机器上显示出的温度不是咖啡豆的温度，而是烘焙室的温度，通过这个数值可以推测出咖啡豆的温度）。我们把这些数字通过图表来记录，用横轴表示时间，纵轴表示温度，这种曲线图被称为"咖啡烘焙曲线"。市面上销售的烘焙机中，有自动记录"咖啡烘焙曲线"的机型，不过你即使一直盯着"咖啡烘焙曲线"，也没什么意义，要想提高烘焙水平，必须要将每分钟的变化从整体曲线中截取下来，然后逐个分析才行。

Q 61
烘焙机的热源有哪些种类?各自的特点是什么?

烘焙机的热源有煤油（石油类燃料）、燃气、电力、炭火、高温水蒸气等。这一节我将对炭火（参照 Q62）以外的热源特点进行说明。

煤油等石油类燃料

石油系燃料的燃烧成本最低，是工业用大型烘焙机首选的燃料类型。由于在燃烧过程中会产生氮化合物、硫黄化合物等，所以对环境危害较大。

燃气

燃气是单次烘焙量在数十公斤以上的烘焙机普遍选用的燃料。由于石油系燃料对环境的危害大，因此大型烘焙机的燃料选择正逐渐向燃气靠拢。

燃气燃料有洁净、成本低、使用简单等特点。由于火力和流量能够同时调整，所以操作简便。如果再安装上压力计，就能达到高精度的控制。

电力

电力与燃气的共同特点是好控制。但是在产生相同热量的情况下，电力的成本是燃气的两倍，所以很难应用在大型烘焙机上。目前，这种热源主要用于家庭或商务的小型烘焙机（单次烘焙量 1 公斤左右）。

过热水蒸气

高温水蒸气就是温度在100℃以上的水蒸气，利用这个原理制作的家用烤箱，已经很流行，现在渐渐地它也开始被广泛使用。我曾经多次对这种烘焙机进行数据采集，遗憾的是并没有发现明显的优势。不过，高温水蒸气原理的烘焙机干燥能力很强，热传导能力也强，在非正常环境（接近无氧状态）下仍然可以进行烘焙。

Q62 炭火烘焙的方法与特点是什么？

用炭火来烘焙咖啡豆的方法，在日本比较流行，日本人对炭火有着特殊的好感，这种方法在日本有着根深蒂固的人气。

炭火作为热源的优势是可以产生红外线（近红外线～远红外线）。红外线可以直接作用在构成咖啡风味的成分上，传导热量。炭的干燥能力很强，近红外线又有着较强的渗透力，可以直达咖啡豆的内部。虽然这是一种很有趣的热源，但也容易让大家产生误解。比如，虽然炭火的温度可以到达咖啡豆的内部，但是如果使用的不是直火式（烘焙室有孔的类型）烘焙机，基本上红外线也没什么作用。

炭火烘焙也存在一些问题。

第一，炭火烘焙比燃气和电力的成本高。想要稳定加热，就必须用质量好的炭，而优质炭的价格一般都很高。

第二，火力调节比较困难。虽然可以通过增减炭量来调节火力，但是减少多少温度下降多少温度，在哪个时点会下降，这些因素都不太容易准确判断。在烘焙中，烘焙师往往需要片刻不离，一直观察着烘焙状况。

第三，烘焙时会释放一氧化碳。为了防止一氧化碳中毒，保证人身安全，我建议还是花几万日元（约几千元人民币）买个随身监测仪器为好。

另外，如果产品标明是"炭火烘焙"，就表示炭是烘焙时的唯一热源。除了炭之外，如果还使用了燃气、电力、石油类燃料等其他热源，就不能被称为"炭火烘焙"。

- -

Q63 怎样选择烘焙机?

在选择烘焙机的时候，你首先要知道，你到底想制出什么口味的咖啡豆。所以，你要把升温方式作为选择烘焙机的前提。

即使升温的方式完全相同，在使用不同的烘焙机进行加工时，也会出现咖啡豆口味不一样的现象，产生这种现象的原因与烘焙机的材质、构造、热源有关。如果是保温性能低的烘焙机，在烘焙后期就很难控制火力；如果是排气性能不好的烘焙机，就会产生很多烟，给深度烘焙带来难度。

有人会说，直火式烘焙机更容易烘焙出咖啡豆的特色。在选择直火式（烘焙室有孔）烘焙机还是半热风式（烘焙室无孔）烘焙机时，要考虑两种机型不同的特点。用同样的方法调节两种烘焙机的火力，传递给咖啡豆的热量是不一样的，烘焙出的咖啡豆风味也不同，如果把原因简单地归结为滚筒形状不一样，那就太武断了。将烘焙室中每分钟温度的上升状态进行统计，我们就会发现，烘焙室的构造与味道基本没有关系。简单地说，半热风式烘焙机不擅长在短时间内迅速提升温度，而直火式烘焙机基本上不受温度和湿度的影响。到底选择哪种烘焙机，就要看你重视烘焙机的哪种特质了。

不管怎样，我建议大家在购买烘焙机之前，要尽可能地向用过的人请教，或者要求厂家现场做一下烘焙看看。

当下很流行自己改造烘焙机，我个人觉得还是谨慎为好。在没有充分理解烘焙机原理之前，不要轻易改变它的结构，说不定改造后，既没达到你预想的效果，反而助长了它的弱项。

Q64 让烘焙水平保持稳定的技巧是什么？

即使是在同一个产地，如果生咖啡豆的批次（加工单位）不同，构成烘焙颜色的成分比例就会不一样，着色方式也不同。因此，为了保持稳定的烘焙水平，要尽可能使用同一批次的生豆，在更换新批次时，还需要确认它的着色方式。不过，同一批次的生咖啡豆，也会出现品质差异较大或放置时间较长而使品质产生变化的现象。

要想保证同一批次生豆的烘焙水平稳定，首先要保证烘焙方法的一致。不仅生豆的投入量要固定，也不要随意调节火力或制气阀。另外，你可以将一次的烘焙量拆分成几批进行。第一批可以烘焙得深一些，第二批要烘焙得浅一些，将两次制得的咖啡豆混合、调制，这样烘焙程度的不均匀就互相冲抵掉了。

烘焙时，要时刻记录咖啡豆的升温方式，对"往常"状态的掌握非常重要。如果和往常"爆豆声"出现时的温度不同，就要根据这个差异进行修正（例如，如果比往常"爆豆声"出现时的温度高2℃，那么停止烘焙时的温度也要比平时高2℃），如果比往常的烘焙时间长（短），就要将烘焙的温度调低（高）。我们只有掌握"往常"的烘焙状况，才能进行微调整，保证高精度的烘焙质量。如果温度变化明显，可以将火力调弱或打开制气阀；如果温度变化迟缓，可以增强火力或关上制气阀。

那么，如何检验烘焙的程度呢？如果你对质量要求很严格，就要事先设定好烘焙后咖啡豆的颜色规格，为了检验是否满足规格，可以用色彩计（色差计），测量颜色、鲜度、亮度等指标。日本目前只把咖啡豆的亮度作为烘焙度的指标，亮度就是明亮程度（Lightness value 单位是 L），咖啡业界将这个数值称为"L 值"。L 值是通过给样品（粉末）打光、计算反射程度得到的。

如果你没有专门的仪器，也可以练习目测。目测的时候，用极细研磨的标准品（作为基准的样品）来比较，更方便辨别亮度。

你也可以用咖啡豆重量减轻了多少（烘焙前后的重量变化）作为烘焙程度的标准。如果比平时的重量减少得多，那有可能是因为烘焙的程度深。

别忘记品尝一下，那是鉴别方法的最后一招。

- -

Q65 产地不同，烘焙时豆子着色的方法也不同吗？

形成咖啡豆颜色的主要成分是低聚少糖类、氨基酸、绿原酸类，由于咖啡豆的品种、产地的不同，成分也不一样。另外，海拔、土壤、栽培条件、精选方法和收获后放置时间的不同，也会影响这些成分的比例。如果比例有差别，烘焙时的着色方法就会不一样。

不同产地的生咖啡豆，自身传导热量的方式也有差异。造成这种影响的因素是生豆的水分含量和生豆的大小等。水分含量会影响生豆的升温方式，生豆的大小不同，吸收的热量也不一样。如果咖啡豆较小，烘焙时温度就会上升得较快，人们一般把这种现象称为"热传导性好"。但我不认为这绝对正确，为什么呢？因为如果生豆体积比较小，表面积就会小，反而不易吸收热量。所以用同样的温度进行加热，由于咖啡豆吸收的热量减少了，烘焙室中温度上升的速度当然会变快。

下面我会说说，不同种类、产地的咖啡豆，用相同火力烘焙时着色的差异。

首先，让我们比较一下阿拉比卡种与卡内弗拉种。少糖类含量低的卡内弗拉种的着色能力比较差，如果想将其烘焙到相同的 L 值水平，烘焙结束时的温度要比阿拉比卡种的高近 10℃。

其次，让我们比较一下不同的阿拉比卡种。如果以阿拉比卡种中的哥伦比亚咖啡豆为基准进行比较，肯尼亚和坦桑尼亚咖啡豆的着色方式差不多，都会稍快一些。巴西与埃塞俄比亚咖啡豆虽然中途慢一些，但是从"二次爆"开始，着色速度会突然变快。中美洲（危地马拉、哥斯达黎加）的咖啡豆大多比哥伦比亚咖啡豆的着色速度慢。

如果你有幸能看见高水平的烘焙操作，就要用心体会，仔细地做好记录和统计，这样就能发现许多的着色技巧了。想要解决烘焙的烦恼，先要弄清楚着色的问题。实际上，即便着色相同，烘焙豆的酸味、苦味、香味往往也不一样。如果再改变烘焙时的升温方式，那么带来的变化就更明显了。烘焙是非常复杂的工程，如果你想成为专业人士，就一定要用心学习。

Q66 为什么烘焙过的豆子表面会有油脂？

咖啡豆表面油亮亮的物质是豆子中的脂肪。阿拉比卡种咖啡豆的脂肪含量是卡内弗拉种的两倍还多，在烘焙程度相同的情况下，阿拉比卡种的咖啡豆比较容易出油。之所以说"烘焙程度相同"，是因为出油的多少也受烘焙程度的影响。

烘焙时产生的二氧化碳，能让咖啡豆中的脂肪渗透到豆子表面。随着烘焙的加深，会产生更多的二氧化碳。不仅在深度烘焙的过程中会有油脂渗出，烘焙后放置一段时间，也会有油脂渗出来，是由于残存在咖啡豆中的二氧化碳还在释放的原因。

二氧化碳会在烘焙结束后一个月左右的时间里，陆续从咖啡豆中释放出来，在烘焙结束的头几天释放量最大。而油脂在烘焙好的最初几天，也能渗出得差不多。

有些人喜欢表层油脂多的咖啡豆，也有一部分人不是很喜欢。

如果是相同的生咖啡豆，烘焙到相同的程度，可不可以通过一定的烘焙法控制油脂渗出量呢？应该说，在一定程度上可以控制。如果用急火烘焙，容易产生大量的二氧化碳，也容易产生比较激烈的"爆豆声"，这样油脂就容易渗出来。相反，如果用较低的温度慢慢烘焙，二氧化碳产生的量与"爆豆声"都相对缓和，油脂就不太容易渗出。通过观察油分渗透的状况，也可以推测出烘焙方法。不过，放置一段时间后，二氧化碳渐渐释放完了，这时就很难推断出当初用的是什么烘焙方法了。

油脂从咖啡豆的表层渗出来，会不会导致咖啡豆过早地劣化呢？不用担心，咖啡豆的油脂在很长一段时间里是不会发生变化的。因为首先，咖啡豆被二氧化碳的屏障包围住了；其次，咖啡豆中还含有大量的抗氧化成分。有不少人认为，咖啡豆的劣化就是"氧化"，而实际上，油脂的"氧化"与豆子的劣化没有什么关系。

Q67 为什么烘焙过的豆子表面有褶皱?

仔细观察烘焙豆的表面，会发现有的豆子表面的纹路是完全舒展开的，而有的豆子不是。这种差异是怎么引起的呢？

原因之一在于生咖啡豆本身。充填密度大的豆子，比较容易留下纹路。如果说"充填密度大"这个词比较难理解，那么我把它换成"用手拿起来，感觉沉甸甸"的说法，就容易理解了吧。充填密度大的代表性咖啡豆，产自肯尼亚和危地马拉；充填密度小的代表性咖啡豆，产自巴西、古巴和牙买加等加勒比海各国。不过，即使是同一个产地的咖啡豆，充填密度也会不同。产地海拔较高的咖啡豆，充填密度偏大，所以纹路的舒展度不是很好。

咖啡豆表层的纹路残留还和烘焙方法有关。烘焙的时候会有水蒸气和二氧化碳从豆子中释放，所以表层纹路会舒展开。特别是火力强或深度烘焙时，会有大量的二氧化碳排放出来，这样咖啡豆纹路的舒展效果就会非常好。反之，如果烘焙度比较浅或是用小火长时间烘焙时，咖啡豆的纹路就会比较清晰。用同样的生豆烘焙的咖啡豆，纹路舒展度不一样，这是因为烘焙时的升温方式或烘焙程度不一样，所以口味自然也不一样。我们不能说表面纹路多是烘焙技能不好或咖啡豆不好造成的，如果仅仅因为咖啡豆表面有纹路，就对它进行深度烘焙，那就太没有必要了。

过去人们曾一度为了追求让轻度烘焙的咖啡豆表面的纹路舒展开，而对咖啡豆进行二次烘焙。他们会先将咖啡豆轻度烘焙到"爆豆声"之前的状态，然后迅速冷却，进行第二次烘焙，这样一来，咖啡豆的纹路就舒展开了。但是这种两次烘焙的咖啡豆，酸味比较弱，口感也比较清淡。

Q68 家庭式的烘焙方法 与诀窍是什么？

到目前为止，我已经介绍了很多烘焙的复杂知识，一定让很多非专业人士望而却步了。烘焙确实是一门复杂的技术，但如果你真的对咖啡抱有浓厚的兴趣，我强烈建议你要尝试自己烘焙咖啡豆。如果知道怎样选择生咖啡豆，也能便宜而简单地制作出美味的咖啡。当然，将咖啡每次都做得好喝是很难的，而且有时会失败。不过这都不重要，因为亲手制作咖啡的满足感，也是构成咖啡美味的要素。接触各种各样的生豆，经过自己的手将其加工成咖啡，可以让我们感受到更多咖啡的魅力。

　　即使没有烘焙机，也可以进行烘焙。在我还是一个业余爱好者时，曾经尝试用各种器具进行烘焙，包括手持烤网、日式陶罐、平底煎锅、雪平锅、砂锅、电烤箱、爆米花机、微波炉等。虽然说这些器具的火力可能不匀，不过在一边不停搅拌、一边加热的状态下，除了微波炉之外，其他几种器具烘焙出来的味道还是像模像样的（无论用哪种器具烘焙，都需要将烤煳了的咖啡豆挑出来哦）。其中效果最好的是直接用油炸，将咖啡豆放入200℃的油里，加热几分钟就可以（有"爆豆声"时，会有油溅出），然后用滤纸滴漏式冲泡。因为通常纸可以将油拦截住，所以冲泡出的咖啡不会油乎乎的。

　　我也使用过很多种市面上销售的家用电力烘焙机，我觉得，家用烘焙机的性能真是越来越好了。有了网络购物后，我也能轻松地从海外购入好的家用机。虽然海外的烘焙机品种非常多，价格也相对便宜，不过买的时候一定要算好关税和运费，也要留意产品的电压。如果电压不合适，很可能会出现供热不足，影响烘焙的效果。如果没有合适的变压器，还是买本土的烘焙机更划算哦。

　　最后，我这里还有一个屡试不爽的好方法。如果感觉手头的咖啡豆（咖啡豆或粉制品）的味道不太好，可以用平底锅将其稍微煎一下再品尝，就会发现味道变好了。请您有机会务必试一下。

当我还是业余爱好者的时候……

哈哈，用日式陶罐挑战一下！

手持烤网

微波炉

砂锅效果怎么样？

失败

Q69 为什么有人会把不同种类的咖啡豆混合到一起？

咖啡豆的风味会因为产地、烘焙程度的不同而发生变化。我们可以逐个品尝，也可以把几种不同味道的咖啡豆混合，品尝新的混合味道。在将不同味道的咖啡豆进行混合时，专业人士与业余爱好者的目的往往是不一样的。

专业人士的混合目的

对于专业人士来说，有些人将咖啡豆混合，是为了突出某种烘焙的口感，还有一些人是为了制作出单一咖啡豆无法体现的味觉效果，当然也有人是为了追求合适的成本。无论目的是什么，混合都非常考验专业水平。

专业人士在混合咖啡豆时，要考虑到混合原理、顾客需求等诸多要点。

给大家举个例子，如果追求味道稳定，那么就要考虑到以下要点：收获期不稳定的产地的咖啡豆的配比率；是否将全年收获量都稳定的哥伦比亚咖啡豆设为基准；将放了一段时间味道有变化的咖啡豆以什么比例混合；是否需要通过低温运送、恒温保管来保证品质。

如果是大超市或批发店，混合咖啡豆时会选择价格相对便宜的原料，以达到成本最小化。

在面对面销售时，混合时就要考虑咖啡豆的外观。比如，人们会选择颗粒大的、色差小的、烘焙程度差不多的进行混合。

总之，专业人士在对咖啡豆进行混合时，需要掌握有关生豆（产地规格、品质、价格、入港期——参照下页表）、烘焙豆（味道特点）、市场等相关的知识才行。此外，研磨、包装、保存的知识以及食品卫生法、计量法等一系列法律条文，也都是专业人士必须掌握的知识。

业余人士的混合目的

业余人士混合咖啡豆大多是为了制作出某种口味。如果有很多不同种类的烘焙豆，将其自由组合，就能制作出自己喜欢的味道。将两种不同风味的咖啡豆进行混合，制作出充满立体感的口味，这也是单一品种的咖啡豆无法具备的魅力吧。

● 生豆（新豆）的入港时间

生豆的输出国、产地名称	日本的入港时间
巴西	10~6 月
哥伦比亚	全年
秘鲁	7~12 月
中美洲	1~7 月
埃塞俄比亚	1~7 月
坦桑尼亚	2~8 月
曼特宁（印度尼西亚）	1~5 月

Q 70 我对混合方法很困惑，
"烘焙前混合"与"烘焙后混合"
各自的特点是什么呢？

因为工作的缘故，我至今为止制作、鉴定过数百种混合口味的咖啡制品。混合的配比方法大致有两个走向，一种是确定了基调味道的咖啡豆之后，再用其他咖啡豆来补充基调的不足；还有一种是并不强调任何一种咖啡豆的口味，而是体现它们之间互相搭配的感觉。

将生咖啡豆进行混合的方法，称为"烘焙前混合"。将烘焙豆进行混合的方法，称为"烘焙后混合"。

如果是"烘焙前混合"，那么你只要确定好生咖啡豆的混合比例，然后就可以放入烘焙机一起加工，比"烘焙后混合"要省时。这种方法的优势是操作简单，但是由于不能针对不同种类咖啡豆的特点分别进行烘焙，所以这种方法自由度低。

如果是"烘焙后混合"，你就要对生咖啡豆分别称量、烘焙。烘焙结束，再做一次称量，才能进行咖啡豆的混合。这种混合方式的缺点是操作复杂，需要的设备多。但是，由于将不同种类的咖啡豆分别进行了烘焙，所以能很好地掌控每种咖啡豆的烘焙程度和风味，这样就可以混合出很多种味道组合，这种方法的魅力是自由度高。

这就是两种混合方式各自的优缺点，大家可以根据情况灵活应用。

Q 71 混合式咖啡用"烘焙后混合"的方法制作，味道更香浓吗？

可能由于"烘焙后混合"特别耗时，所以人们才常说，这种混合方法比"烘焙前混合"要好。

确实，有些组合只有通过"烘焙后混合"的方法才能做到，比如想往中度烘焙的阿拉比卡种中混入苦味较重的深度烘焙的卡内弗拉种，就只能采用"烘焙后混合"。如果希望混合的咖啡豆颜色均匀，就需要尽可能地统一各种烘焙豆的颜色，此时"烘焙后混合"也非常适合。（"烘焙前混合"容易让咖啡豆颜色不均，这并不是由于技术不好，而是因为不同种类生咖啡豆的成分差异大。）

"烘焙后混合"并不适用于所有情况，如果用于混合的咖啡豆的升温方式以及烘焙结束时的温度要求都一样，那么用"烘焙后混合"就会浪费时间。

什么时候适合用"烘焙前混合"呢？比如，有的咖啡豆配比率很低，那么用"烘焙后混合"就会耽误很多时间。"烘焙后混合"的方法适用于一次使用很多咖啡豆的情况。另外，在用搅拌机混合烘焙豆时，一些咖啡豆会碎掉，无形中又增加了人工挑拣碎豆、残品的工序。所以，"烘焙前混合"的效率相对要高一些。

我个人觉得，如果不是必须使用"烘焙后混合"，那么就尽量用"烘焙前混合"吧。只要将每种咖啡豆的升温方式、配比量调整得当，即便用"烘焙前混合"，也可以制作出很多的味道组合。

如果你做了很多次，却达不到预想中的混合结果，这时候我建议可以将"烘焙前混合"与"烘焙后混合"两种方法并用。不需要将所有品种的咖啡豆分别烘焙，只要它们的温度上升方式和烘焙度接近，就可以放到一起烘焙，这样做操作简单，也可以配搭出不少的味道组合。

Q72 混合式咖啡的命名规则是什么？

商品名称是消费者选择商品时重要的判断依据，为了避免产生误解，所以要特别注意商品的命名方式。在商品命名时，还要调查一下是否有侵权行为。

用产地命名混合咖啡豆时，要把该产地的咖啡豆含量换算成生豆，其质量必须占到总重量的30%以上。例如，将商品命名为"肯尼亚blend"时，肯尼亚产的生豆就必须占到总重量的30%以上（对于液体咖啡饮品，某些国家规定要占到51%以上）。不过这种命名规则并不要求肯尼亚产的咖啡豆所占的比例最大，而且也不要求烘焙后的质量占总重量的30%以上。

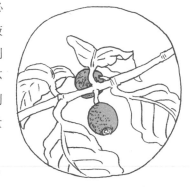

以"炭烧摩卡blend"为例子，

如果要注明烘焙时的热源名称，那么就要求烘焙时只能使用命名中的热源，且不能和其他热源并用。还要求炭火烘焙的摩卡豆（埃塞俄比亚或也门出产）要占到30%以上（换算成生豆），混合的其他产地的咖啡豆也必须是炭火烘焙出来的。

如果用"大豆"或"蒲公英"这种跟咖啡不相关的材料来命名，那就是不符合客观事实，如果用"最高级"这样的字眼，那就是命名不恰当。

●部分特定品种的名称与定义

名称	定义
蓝山咖啡	牙买加的蓝山地区出品的阿拉比卡种咖啡豆。
高山咖啡	牙买加的高山地区出品的阿拉比卡种咖啡豆。
牙买加咖啡	牙买加产的优洗豆、水洗豆，统称为牙买加咖啡豆。
古巴水晶山咖啡 （Crystal Mountain）	古巴生产的本国出口规格的阿拉比卡种咖啡豆。
危地马拉·安提瓜咖啡 （Antigua Guatemala）	危地马拉的安提瓜地区生产的阿拉比卡种咖啡豆。
哥伦比亚特级咖啡 （Colombia Supremo）	哥伦比亚产的特级咖啡豆。
埃塞俄比亚摩卡咖啡 （Mocha Harrar）	埃塞俄比亚的哈拉尔地区生产的阿拉比卡种咖啡豆。
也门摩卡咖啡 （Mokha Mattari）	也门产的阿拉比卡种咖啡豆。
乞力马扎罗咖啡 （Kilikmanjaro Coffee）	坦桑尼亚产的阿拉比卡种咖啡豆。但不包括布科巴（Bukoba）地区生产的咖啡豆。
托那加咖啡 （Toraja）	印度尼西亚的苏拉威西岛的托拉雅（Toraja）地区出产的阿拉比卡种咖啡豆。
卡罗西咖啡 （Kalossi）	印度尼西亚的苏拉威西岛的卡罗西（Kalossi）地区出产的阿拉比卡种咖啡豆。
盖优山咖啡 （Gayo Mountain）	印度尼西亚的苏门答腊岛的塔肯公（Takengon）地区出产的阿拉比卡种咖啡豆。
曼特宁咖啡 （Mandheling）	印度尼西亚的苏门答腊岛出产的阿拉比卡种咖啡豆。
夏威夷可那咖啡 （Kona）	美国夏威夷岛可那（Kona）地区出产的阿拉比卡种咖啡豆。

Q73 咖啡的食用期限是怎么规定的？

食品的食用期限有两种表示方法，消费期限和保质期。

消费期限针对的是 5 天左右就会变质的食品。保质期主要针对的是保存时间在 5 天以上的食品。对于咖啡来说，标注的一般都是"保质期"。

食品卫生法要求，产品的责任人（也就是生产者）要根据产品的卫生检查、理化检查、感官检查对产品设定相应的保质期。为了保证在保质期内食品的新鲜度，必须注明保存条件。

生产商对于保质期的设定方法也有一些疑问。比如，他们会问在规定的保质期内，是否有必要使用尽可能好的包装方法与包装材料，食品发生变化到什么样的程度不算变质等问题。

咖啡爱好者往往也有关于保质期的各种问题。首先是关于保质期的定义，保质期指的是食品开封前在指定环境下可以保存的期限。对咖啡来说，想要保质期长，就要将空气中的氧气与水蒸气去除，再用渗透率低的材质包装、保存。如果环境被破坏，咖啡豆的质量就会发生变化。其次，保质期的设定是客观条件决定的，不同生产商的设定方式不一样。就像前面生产商问的那样，到底是采用确实能保证商品质量的高规格包装好呢，还是采用只在保质期内保证商品质量的包装好呢？我们在买咖啡时，选择哪一种包装材质的咖啡，还是尝过后再决定吧。

Q74 咖啡有哪些包装方法？各自的特点是什么？

无论是咖啡豆还是咖啡粉，都要被装入容器中销售，专业人士称这种容器的材质为包材。

最初，咖啡制品的包装只是简易的袋子，后来才逐渐发展成为具备保鲜功能的包装，这一类包装可以防止咖啡制品劣化。实现长期保鲜。咖啡制品的包装样式很多，功能也不一样，选取怎样的包装体现了销售商的包装理念。

如果消费者精心挑选的咖啡是短时间饮用的，那么包材上就不会花费过多成本。如果你需要长期保持咖啡的风味，那就需要熟知合适咖啡的包装方法与包材。

保持咖啡的风味，包装时就要去掉导致咖啡劣化的氧气和水分，还需要将这种状态一直维持。空气中氧气的含量在 20% 以上，包装时必须将这个比例降到 1% 以下，由于烘焙后咖啡豆的吸潮性很强，因此包装环境必须干燥。

能够将氧气和二氧化碳有效去除的包装方法有很多种，最基本的方法是"惰性气体置换法"。包装时要将氮气或二氧化碳等不易发生反应的气体充入包装，赶出氧气和水分，再将包装袋密封好。这是一种既简单、效果又好的包装方法，可以单独使用，也可以和其他包装方法配合使用。

第二种方法是使用"单向排气阀"（One Way Valve）。随着二氧化碳不断从咖啡豆、咖啡粉中释放出来，包装中的气压会变大，此时二氧化碳就会带着氧气与水分一起通过"单向排气阀"，从包装中排放出去。正如名称中"单向"的意思，气体只从内部排放到外面，而不会从外面渗透到包装里，所以包装中残存的氧气与水分的含量会不断降低，最后里面的气体就会被换成二氧化碳。不过，这种方法如果不与"惰性气体置换法"一起使用，只依靠咖啡中释放出的二氧化碳将氧气和水分排出的话，需要的时间就太长，保鲜效果就没有那么显著了。

第三种方法是真空包装法。真空包装是大家都熟悉的让食品长期保质的方法，虽然叫"真空"，实际上包装中的氧气和水分的浓度并没有降低，所以说该方法的保鲜效果也不是很好。如果此种方法与"惰性气体置换法"并用，保鲜效果就会明显提高。

第四种方法是放入除氧剂。这种方法在一定程度上可以去掉包装中的氧气与水分。这种方法与前面的几种不同，它是用化学反应来消除氧气与水分的（这里所发生的化学反应与"暖宝宝"的原理一样）。

●咖啡制品的包装方法

惰性气体置换法	充入氮气和二氧化碳,将氧气与水分挤出。
单向气阀	二氧化碳将氧气与水分通过单向气阀一点点排出。
真空包装	通过抽真空,在一定程度上去除包装中的气体和水分 (不能完全去除)。
放入除氧剂	通过化学反应,在一定程度上去除氧气与水分,同 时也会吸收一部分二氧化碳。

Q 75 什么材质最适合包装咖啡?

　　用气体阻隔性低(成分较容易透过)的材料包装的咖啡制品,即便密封得很严,咖啡的香味也会渗透出来。如果使用这样的包材,空气中的氧气、水蒸气和其他各种气体也会渗透进去。如果打算长期保存,就要选择气体阻隔性高的包装。即使用 Q74 中所说的包装方法,如果包材选择不当,就无法长期保持精心打造的包装袋内部环境,那么之前所做的一切就失去意义了。

　　以前的咖啡制品大多是罐装,近年来市场急速发展,出现了名为软包装(Flexible Packaging)的包装形态。与此相伴产生的问题是,如何将各种性质的薄膜黏合到一起,生产出优质的包装材料。

　　大部分薄膜的构造是这样的:最外面为强度高的聚酯纤维(PET)或尼龙,最里面是遇热易溶、易黏合(也就是容易热封的)的聚乙烯(PE)或聚丙烯(PP)。中间的夹层则是铝箔、聚酯镀铝膜(VMPET)、乙烯 – 乙烯醇共聚物(EVOH)等隔绝性能高的薄膜。

　　各层薄膜通过压合的方法粘在一起,有时会发出胶水、黏着剂等残留物的味道，由于形状和材质的不同，也会出现较难贴合的现象，因此在选材和加工时要特别注意。即便是包材批次（加工单位）变了，也要注意。

由于聚氯乙烯等盐酸聚合物容易产生二恶英，所以近年来这些材质都不允许使用了。

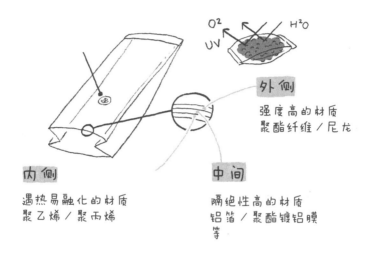

外侧
强度高的材质
聚酯纤维／尼龙

内侧
遇热易融化的材质
聚乙烯／聚丙烯

中间
隔绝性高的材质
铝箔／聚酯镀铝膜
等

Q 76 将刚刚烘焙好的咖啡豆直接密封，为什么袋子会胀得鼓鼓的？

包装袋鼓鼓的，是因为二氧化碳从咖啡豆中释放出来了。近些年来，大家慢慢了解到，包装袋变鼓并不是咖啡腐败造成的。烘焙过程中产生的二氧化碳，最初附着在咖啡豆的表层，之后会从表层逐渐释放出来。随着烘焙程度的加深，产生二氧化碳的量也会增加，100g烘焙豆会产生 500cc 的二氧化碳。大量的二氧化碳有可能会将包装袋撑破，所以从安全和保质的角度考虑，有必要消减二氧化碳的量。消除二氧化碳的方法有：让咖啡豆稍稍"变陈"、用单向排气阀的包装、在包装中放入脱氧剂等。

让咖啡豆"变陈"，就是将刚烘焙好的咖啡豆放置一边，让它逐渐释放二氧化碳。烘焙豆的放置时间大约为 1~3 天，而且要根据烘焙度和咖啡豆的状态（咖啡豆或粉末）来决定保管时的温度等因素。让"咖啡豆变陈"时，咖啡豆会直接与空气接触，由于刚烘焙好的咖啡豆表层有很浓的二氧化碳屏障，所以很难受到氧气的影响，因此不用担心会被氧化。但随着二氧化碳的释放，也会将咖啡的香味带走，这才是需要注意的问题。

如 Q74 中所说的那样，在有单向排气阀的包装中，二氧化碳会通过气阀排放出来，因此包装袋不会膨胀过度。不过，市面上销售的气阀中，有的气阀不是"单向"的，也有耐久性较差的，所以使用前最好多做实验。

如果将除氧剂封入包装中（参照 Q74），会将氧气与二氧化碳同时去除，既解决了氧气的问题，又解决了二氧化碳的困扰。不过，除氧剂同时也会吸收咖啡的一部分香味成分，所以就会出现香味变弱的现象。往咖啡中倒入热水时，由于气体都被吸收掉了，所以那种香味扑鼻的感觉也会变弱。这种咖啡粉遇到热水后，膨胀度会变差，容易让人产生"咖啡放得太久了"的误解。

所谓的"精品咖啡"与"优质咖啡"指的是什么？

如果只是普通产地的咖啡豆，就是我们平时说的"主流咖啡"或"日常咖啡"；如果是比较稀有的限定产地、庄园、品种的咖啡豆，则被称为"优质咖啡"。"精品咖啡"也是"优质咖啡"的一种。

"精品咖啡"已经形成了一个不同于"主流咖啡"的销售市场。精品咖啡往往具有广受好评的优良品质。用来评判主流咖啡好坏的重点是对异味（咖啡中不好的味道）的评估，如果咖啡中的异味非常少，标价也会高，倘若比精品咖啡还要优良，那么价格甚至会高过"精品咖啡"。

"精品咖啡"这个词汇是 1974 年由美国精品咖啡协会（SCAA）主席尔娜·克努森（Erna Knutsen）女士在 *Tea&Coffee Trade Journal* 杂志上首次使用的。她将在微气象学理论下产生的风味极佳的咖啡称为"精品咖啡"。虽然这种咖啡的定义有很多版本，我还是觉得最初的意思最为贴切。而今市面上定义的"精品咖啡"，总让人感觉有什么地方不妥当。

虽然在"精品咖啡"市场中，对其味道评估的标准是中肯的，但现在"精品咖啡"这个词被用乱了，已经偏离了最初的含义，越来越向"优质咖啡"的含义靠拢。我认为精品咖啡要表达的意思，并非是特定种植园、品种的名称。我们应该将咖啡品种的稀有度、种植园名称、品种所带来的产品附加值与咖啡的风味区别对待。稀有程度、种植园名称、品种这些会让消费者产生购买欲，这是物以稀为贵的道理，但是和本身的品质并不能划绝对的等号。在毫无名气的"主流咖啡"中，也有不少比"优质咖啡"的味道还要好的品种。

关于什么是"精品咖啡"，我希望能用科学的方法来解释微气象、栽培、精选乃至烘焙对其品质产生的影响。虽然说我已经掌握了一些数据，不过还远远不够。咖啡的世界非常复杂，也正因为如此，咖啡的世界才如此有趣。

5 想要了解更多咖啡知识
　　——栽培·精选·流通·品种

Q77 栽培咖啡的时候，能够使用农药吗？

　　种植咖啡的时候可以使用除草剂、杀虫剂、杀菌剂等农药。众所周知，农药的价格高，过度使用会对环境造成不好的影响。现在普遍提倡消减农药化，但我们面临的现状是，使用农药来种植咖啡仍然很常见。

　　在工作中，每个月我都要对50例以上的生咖啡豆进行"残留农药检查"，有时候会检查出残存的农药。不过，残存量基本都在食品卫生法的标准之下。

　　我认为，产品上残存的农药非常少，是因为现代农药的设计水准高，药效发挥后会迅速分解。另外，种植咖啡的农户也大多接受了指导，他们使用农药的水平提高了不少。

　　即使这样，有时也会发现农药残存量高的生豆。不光我遇见过，在国内检查报告中也见过几起。不过，不能因为这个就把咖啡定义为危险食品，因为违反了食品卫生法，并不见得就是对健康有危害。

　　如果检测出的农药残存量高于标准值，商家会将这种情况公布出来吗？这才是我们需要关心的。如果公布了，购买者就能正确理解基准值和风险值的概念。但是现实往往不是这样，广告总是鼓动大家购买，不会傻傻地说出产品的健康风险，否则那些对咖啡一知半解的消费者，肯定会对产品产生不安。

　　接触咖啡的专业人士，必须要有正确的知识。有些"专家"会说："咖啡豆是被果肉覆盖着的，不会和农药直接接触，所以可以放心食用。"这是完全错误的。杀虫剂依靠根部吸收，蓄积在脂质丰厚的地方，咖啡树上脂质丰厚的地方就是种子部分，也就是说，农药一定会蓄积在咖啡豆上。

　　对农药的危害反应过度，或者隐瞒农药危害、欺骗毫不知情的消费者，这些都是不好的行为。

如果有诚意，就要由浅入深地了解咖啡。无论对人还是对农药，都应该如此。

Q78 有机咖啡的评判标准是什么？它一定更好喝吗？

近年来，消费者对于不使用化学肥料进行培育的有机（有机栽培）食品的需求量逐年增加。世界上有不少能对有机食物进行认定的专业机构，日本则通过 JAS 法（农林物资规格化以及质量标准化的相关法律）来认证，如果农产品及农产品加工品为"有机"产品，就会被贴上"有机 JAS"的标识。要想获得贴标的资格，必须通过审查，进行相关认证。

生咖啡豆的贴标也不例外。法规规定，从种植到收获为止的 3 年多里，不使用化肥或农药，才能经过 JAS 认证贴标（但如果在植物检疫中被熏蒸过，则无效）。巴西、哥伦比亚、危地马拉、埃塞俄比亚等国都有 JAS 认证的种植园。

将标有 JAS 有机认证的生豆烘焙后，如果想标上"有机产品"来销售，就必须接受烘焙商 JAS 认证。如果将烘焙好的咖啡豆分装成小包销售，同样也要得到分装行业认证。您手中标有"有机 JAS"标识的咖啡产品，意味着从栽培到烘焙乃至分包的流程，都受到了 JAS 的保证。

有机咖啡的口感一定更好吗？经常有人这样问我。而我也只能回答："那要看制作方法才知道啊。"咖啡是一种需要很多肥料才能生长好的植物，有的有机咖啡豆，栽种时没用到合适的化学肥料，产出的咖啡豆味道很单薄。当然也有人不使用化学肥料而在栽种上下功夫，也能种出味道浓郁的咖啡豆。

咖啡豆品质的好坏与"栽培时使用的肥料是否恰当"有关，仅仅看肥料和有机肥料的比例，很难判断咖啡豆的品质。

就是个标识而已，味道的好坏还要靠自己的舌头来判断。

有机 JAS 标识

Q 79 咖啡果是怎么变成咖啡豆的？

收获咖啡果后，要尽快将果肉剥掉，取出种子，然后再将种子的壳去掉。本书中将这部分工序称为"精制"。之后，按照品质差别区分，将混入的异物挑出，这道工序称为"分选"。这两道工序合称为"精选"。

精选工程的第一步——精制

将生咖啡豆从咖啡果中取出的精制工序，分为四种方法：

第一种叫"非水洗式"。这是很久以来一直沿用的方法，也被称为"干燥式"。阿拉比卡种中的巴西咖啡豆、埃塞俄比亚咖啡豆、也门咖啡豆大都采用这种精制方法。另外，几乎所有的卡内弗拉种也都会用非水洗式进行处理。非水洗式处理的生豆被称为 Natural 咖啡豆或 Unwashed 咖啡豆等。

第二种叫"水洗式"。据说这种方法是印度人发明的。对阿拉比卡种来说，中南美各国、加勒比海各国、非洲各国产地的咖啡豆基本都采用水洗式处理。印度、印度尼西亚的卡内弗拉种咖啡豆也基本都采用这种方法。

第三种是"半水洗式"。这是巴西人发明的新方法，用这种方法可以制出与非水洗式法不一样特性的生咖啡豆。

第四种是"苏门答腊式"。这是印度尼西亚的苏门答腊岛、苏拉威西岛自古以来就使用的方法，用这种方法处理的生咖啡豆，从外观上很容易辨别。

精选工程的第二步——分选

将咖啡生豆中的异物去除并按照尺寸区分的分选工序，共分为五个阶段：

第一阶段是人们将混入生豆的石子挑出来，利用石子和生咖啡豆的比重差异进行挑选。有些石子是工人操作时不小心混进去的，也有些是为了增加产品重量而人为掺入的。

第二阶段是利用风力进行分选。把豆子从空中倒下来，在落下的过程中施加风力，这样轻的豆子和异物就被吹走了。

第三阶段是滤网分选（根据尺寸进行分选），各个生产国有各自要求的尺寸规格。

第四阶段是比重分选。这是在第三阶段对生豆尺寸进行了分选后，再对高品质、比重大的生咖啡豆进行分选的工序。

第五阶段，也就是最后的程序——根据颜色进行分选。这道工序可以机器筛选，也可以人工筛选。总之，就是将颜色怪异的不合格生豆挑出来。

经过这些工序，生咖啡豆的加工就完成了，之后，人们会把生豆装上船只，直接运往海外的咖啡消费国。

- -

Q80 谁都能够从事咖啡的生产吗？

从咖啡果到生咖啡豆的加工流程，有几种不同的方式，这是由咖啡生产国或种植园的规模来决定的。

收获量大、资金丰富的大种植园，从收获到精选结束都自己加工。其中也有的种植园会把产品从生产加工一直做到出口。

但是，世界上大部分的咖啡生产商，基本都是拥有几公顷栽培面积的小农户。这些小农户处理咖啡豆的方法各不相同，加工出来的咖啡豆品质和商品价值的差异非常大。

很多小农户收获咖啡果后，一般都会加工到剥壳前或分选前。这就是说，影响咖啡豆品质的工序分别由不同的小农户自行决定。由于小农户的产量小，精选工人会把很多农户的咖啡豆混在一起，作为一个批次（制造单位）。这样，就容易出现知识、技能、处理设备等状况的参差不齐。有些咖啡生产国能将小农户们组织好，对他们普及知识，加工出好品质的产品；有些国家或地域生产的生豆品质差异大，导致商品价值很低。

有些农户不做加工，直接销售咖啡果。精选业的人直接收购农户的咖啡果，然后统一加工。这样做出的生咖啡豆，品质会好一些。

有的小农户会组成团队，共同劳作。小农户们共同出钱购买设备，收获时互相协助共同生产。这可以提高产品的质量，增加了每户的收入。这种方法除了对产品质量有利，也使产品的可追溯性（产品履历管理）大大提高——仿佛可以让购买者看见咖啡豆，就知道是谁生产的一样。很多地区出现了这种高效率的组织化生产方式，将来说不定会越来越兴盛吧。

Q 81　咖啡的价格是如何制定的？

咖啡价格基本由供求关系决定。阿拉比卡种是通过纽约期货市场决定基本售价的，而卡内弗拉种则是通过伦敦期货市场。如果预期收获量大，价格就会下滑；如果生产国的政治环境不稳定、气候因素不好而导致产量减半，价格则会上扬。另外，投机商的买卖、非市场供求因素造成的影响，往往也会让咖啡价格出现波动。

2000 年初，我开始正式从事咖啡相关的职业，主要负责商品开发。当时巴西、越南两地增产，市场供大于求，咖啡价格一度低迷。无论用哪种咖啡豆都很划算，所以没必要认真计较成本。那时的我，并不知道这种情况会带来什么样的后果，只是整天快乐地忙于尝试各种咖啡豆的混合搭配。

那些年咖啡豆价格低迷造成的影响，直到数年后我亲自踏上了咖啡豆产地才深刻地体会到。我访问了多个咖啡豆产地国，见到了很多荒芜废弃的咖啡种植园，还有很多无法上学的儿童。我深刻地感受到，由国家或投机商操纵的咖啡豆价格，支撑着整个咖啡世界的小农户们的生存。

然而，遭受打击的并不仅仅是农户。价格低迷之后，接下来就是供小于求，咖啡豆的价格又会上涨。价格低迷后的 5 年，咖啡豆的价格涨了 3 倍。所以混合咖啡豆时，就需要对成本精打细算了。为了维持原有的销售价格，就不得不选用价格低的原料。最后售价能大过成本还算是好的，市面上甚至还出现了不少卖得越多亏损越多的商品。

受到打击的也不仅仅是商家。由于商家大力杀价，生豆的质量越来越差。为了维系销售价格，商家不得不选购质量更差的生豆。追求价格实惠的消费者，手中的咖啡豆质量自然也就变差了。

- -

Q 82 生咖啡豆 是怎么运输的?

生咖啡豆的运输基本靠海运。一般都是由生产国（或其邻国）将生咖啡豆装入集装箱，输出到海外。有的生产商用与集装箱尺寸差不多大的袋子来装生咖啡豆，大多数生产商则是将生豆分装成几十公斤的小包装，再装入集装箱。用于分装生咖啡豆的容器种类很多，比较特殊的如牙买加蓝山咖啡，是用木桶分装的。印度尼西亚和也门用筐分装，大多数商家是用麻或剑麻（非麻属类植物）编成的麻袋分装，它的容量有 45 公斤装（夏威夷）、60 公斤装（巴西等国）、69 公斤装（中美洲）、70 公斤装（哥伦比亚）等，产地不同，分装的重量也不同。一个集装箱差不多能装 250 袋。

现在，应家庭式烘焙市场的需求，10~15 公斤装的小包装产品越来越多了。我到访咖啡产地国时，曾经看到过身材瘦弱的搬运工们神情淡定地将一袋袋生豆搬到集装箱里的情景。这让我心生佩服，由衷地想向他们表示感谢，不过内心又充满着无比愧疚的情绪。因为现状是，他们长期从事着严酷的体力劳动，换来的却是并不对等的报酬。

集装箱有的不附加空调机，也有的会附加空调机。目前市场上主要用的是没有空调机的普通集装箱，这种环境不太有利于生豆存放。产地国将温热的空气和生咖啡豆一起封入集装箱，船只要在海上漂泊一个月左右，才能到达目的地。这期间，温度和湿度会不断变化，到达目的地后，往往因为温度下降，空气中的水蒸气会凝结成水珠。

最近，越来越多的商家会选用冷藏集装箱来进行运输了。集装箱的成本增加了，装入集装箱的袋数也少了。虽然这样造成了成本的增加，但由于减少了温度、湿度的变化，保鲜效果就更好了（参照Q52）。我曾经对集装箱的温湿变化与咖啡豆质量的关系做过调查，发现如果用空调集装箱来运送价格昂贵的高品质生豆，虽然成本会增加，不过也还是划算的。

谢谢，
抱歉啊！

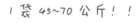

1 袋 45~70 公斤！！

没事。

PRODUCT OF COLOMBIA

Q 83 进口的生咖啡豆中会掺杂劣质豆和异物吗?

生豆批发商、进口生豆的公司、烘焙商收到生豆样品后,都要对其进行质量检查。在样品中会发现与其他生豆外观不同的豆子(种植、收获、精选、保存、运输过程中发生的质量变化)、石子、树脂等异物,专业人士管这种现象叫"瑕疵"。"瑕疵"的种类有很多,什么情况被称为"瑕疵",什么样的程度对质量有影响……这一类的评价标准,由各个生产国或评价机构自行决定,所以有一定的差异。

在国际标准化组织(ISO)规定的国际标准 ISO10470 中,关于生咖啡豆的各种"瑕疵"有具体的记录,如:何种原因、在哪道工序产生、外观特征是什么、对咖啡风味有什么影响等。我将其中的主要问题摘录在下边的表格中。

黑豆:即使混入一粒,整杯咖啡的味道也会被破坏。因为与生咖啡豆的颜色差异很大,所以很容易挑拣出来。

发酵豆:用肉眼能够观察到,这一类豆子的表面有红色的斑点。

霉豆(表面发霉的生豆):数量非常少,即使有也很容易发现。

虫蛀豆:因为表面有痕迹,所以能够很容易发现。

未成熟豆:有一种独有的绿色,体积稍小,烘焙后更容易发现。未成熟豆与正常生豆的成分是不同的,烘焙后会成为死豆(着色非常不好)。

异物:包括生豆外壳的碎屑、外壳没剥干净的生豆、干燥的咖啡果肉、石头、土、木片等。

这些不仅会影响风味,更可以说是对从业者技术水平和农户管理水平的评判指标。

此外,还有从外观无法判断但实际会产生异味的霉变,氯气味道等问题。这就需要通过味觉测评来降低风险了。

发酵豆

不要！ 哎呀！

起红斑了……

谢谢招待！

我呢？

下一位！

虫蛀豆

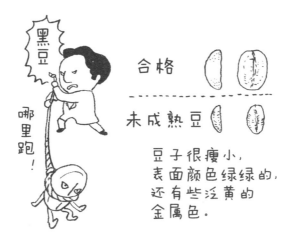

黑豆

哪里跑！

合格

未成熟豆

豆子很瘦小，
表面颜色绿绿的，
还有些泛黄的
金属色。

● 主要缺陷的特点·原因·影响

瑕疵名称	特点	原因	影响
黑豆 (black bean)	颜色变黑 / 一般比较小	由于细菌的原因变坏 / 由于未成熟豆干燥 不得当造成	颜色不匀 / 不和谐的味道
发酵豆 (sour bean)	起红斑	发酵过度造成	不和谐的味道
霉豆 (fungus damaged bean)	用肉眼可以辨认出 生豆表面的霉菌	保管环境 / 运输环境不得当造成	霉味
贝壳豆 (shell bean)	表面有花苞	发育不良	烧焦
虫食豆 (insect damaged bean)	虫子咬过的痕迹	栽种或是保管中 被虫子咬了	颜色不匀或是不和谐的味道 (栽种过程中的虫食豆)
未成熟豆 (immature bean)	表面有折皱 / 黏着性银皮 / 金属质感的绿色	未成熟	颜色不匀 / 味道不足
轻豆 (floater bean)	浮在水面	保管、干燥不得当	不和谐的味道
褶皱豆 (withered bean)	表面有很深的纹路	发育不良	不和谐的味道

Q 84 阿拉比卡种里
包含哪些品种?

阿拉比卡种以马提尼克岛上的铁皮卡咖啡豆、留尼汪岛上的波旁咖啡豆为起源,形成了现今众多的品种。

在运往留尼汪岛的咖啡树中,有一些树种发生了偶然的基因变异(基因突变),产生了波旁咖啡豆。虽然该品种得到了承认,但之后又发生了类似的基因突变,产生了一些新的品种。代表性的品种是卡杜拉(Cattura),它是波旁咖啡豆(Bourbon)突变的品种,拥有成熟早、结果多的特点,在中南美栽种得多。另外,阿拉比卡种中果实最大的玛拉果吉佩（Maragogipe），也是基因突变产生的品种。

　　不同的品种组合（杂交），也能够产生新的品种。巴西栽种的蒙多诺沃（Mundo Novo）就是苏门答腊种（Sumatera，铁皮卡的亚种）和波旁种自然杂交产生的品种。蒙多诺沃与卡杜拉组合产生的卡杜阿伊（Catuai）是人工杂交的品种。对咖啡树种进行人工杂交时，在花开之前，为了让花粉不沾到雌蕊上，要事先将雄蕊摘除（这个工序叫"除雄"）。哥伦比亚（Colombia）、伊卡图（Icatu）、鲁依鲁 11（Ruiru11）等混合品种（详见 Q86）都是人工杂交的品种。

　　从 2006 年起广受人们重视的瑰夏咖啡豆（Geisha），原本在埃塞俄比亚的瑰夏地区默默生长，直到 1960 年才向其他地区输出，它是和铁皮卡（Typica）一样古老的品种，其中最有名的要数巴拿马产的瑰夏咖啡了，它是在哥斯达黎加的 CATIE（热带农业研究机构）中产生的，因其独特的类似于摩卡（Mocha）的香味而广受喜爱。我在 2005 年参观过 CATIE 植物园，在那里见到了瑰夏咖啡树，不过那时瑰夏还不像现在这么有名。

　　虽然现在满世界都在聊咖啡，不过很多地方并不是非常明白"种"与"品种"的区别。实际上，"种"的下面才是"品种"，而"品种"的下面应该叫"栽培品种"，或在特定产地才能见到的"亚种"。"阿拉比卡种"这种说法是正确的，但如果说是"铁皮卡种"就不对了。正确的说法应该是"阿拉比卡种中的铁皮卡"或"铁皮卡品种"，也可以将其简单地称为"铁皮卡"。

● 阿拉比卡种的主要品种

品种名称	起源
铁皮卡（Typica）	埃塞俄比亚 传播途径：印度尼西亚—荷兰—法国
波旁（Bourbon）*1	留尼汪岛，铁皮卡发生基因突变
玛拉果吉佩（Maragogipe）	发生基因突变
瑰夏（Geisha）	源自埃塞俄比亚的瑰夏地区
卡杜拉（Caturra）	巴西的波旁发生基因突变
肯特（Kent）	源自印度的肯特农园
SL28	坦桑尼亚 波旁系
SL34	肯尼亚 波旁系
蒙多诺沃（Mundo Novo）	苏门答腊（Sumatera，铁皮卡的亚种）和波旁杂交而成
卡杜阿伊（Catuai）	波旁和卡杜拉杂交而成
卡蒂莫（Catimor） 《混合品种》	CIFC（葡萄牙）混合品种蒂姆（Timor）*2 与卡杜拉杂交而成
哥伦比亚（Colombia）	哥伦比亚 混合品种蒂姆（Timor）*3 与卡杜拉杂交而成
伊卡图（Icatu）	巴西 药物处理过的卡内弗拉种与波旁品种杂交后产生的品种再与蒙多诺沃杂交而成
鲁依鲁11（Ruiru11）	卡蒂莫与SL28系的杂交品种*4，再与SL28再次杂交而成
S795	印度 阿拉比卡与利比里亚种（Liberica）杂交产生S288，再与肯特杂交而成

＊1　有红色果实的红波旁（Red Bourbon）与黄色果实的黄波旁（Yellow Bourbon）。卡杜拉、卡杜阿伊、哥伦比亚等也都一样。

＊2　在蒂姆发现的阿拉比卡种与罗布斯塔的杂交品种。称为HdT。

＊3　与形成卡蒂莫的不是一个亚种。

＊4　SL28中耐病性强的K7和HdT等杂交而成。

Q85 卡内弗拉种里包含哪些品种？

卡内弗拉种中广为人知的品种有罗布斯塔（Robusta）、科尼伦（Conillon）等。

卡内弗拉种与阿拉比卡种不同，其与众不同的特性无法遗传给自己的子孙，品种的纯度不高，类别也不多。因为产地不同，为了适合土壤特性，就会产生了相应的品种。

这样说来，卡内弗拉种中的优秀品种是不是无法遗传呢？在产地，人们会通过克隆技术来繁衍优秀品种。这里的克隆可不是那种先进的高科技生物技术，它指的其实是"扦插"。截取卡内弗拉种中优秀品种的咖啡树枝，将其插入培养土中，就能很容易生出根来。这样长出的咖啡树和母株有着完全相同的遗传特性。

当然也可以进行"嫁接"。比如说将果实好的 A 品种的枝条与根系好的 B 品种的枝条进行嫁接，A 枝在上，插入削开的 B 枝中，用绳子绑好后，将 B 枝的部分栽种到土壤中，这样我们就得到了果实好、根系也发达的树苗了。

如果从嫁接部分砍断，再长出来的果实就会表现出 B 品种的特性；如果用嫁接成功的树苗中采下的枝条进行克隆，那么克隆出的果实会表现出 A 品种的特性。

嫁接也可以在卡内弗拉种与阿拉比卡种之间进行。阿拉比卡种的优良果实与卡内弗拉种易生长的特性结合后，就能在阿拉比卡种无法生长的土壤或线虫遍布的地方种植阿拉比卡种了。通过这种方法长出的咖啡果实，将全部表现为阿拉比卡种的特性。

●卡内弗拉种的主要品种

品种名称	起源
罗布斯塔（Robusta）	维多利亚湖（肯尼亚、坦桑尼亚、乌干达的非洲最大的淡水湖）西边
蔻依萝（Kouillou） 科尼伦（Conillon）	维多利亚湖西边， 巴西将该地称为科尼伦

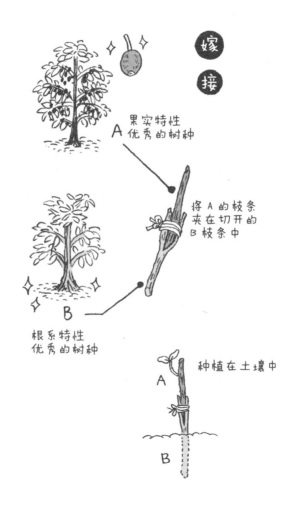

嫁接

果实特性优秀的树种
A

将 A 的枝条夹在切开的 B 枝条中

根系特性优秀的树种
B

种植在土壤中
A
B

Q 86 所谓咖啡的"杂交"指的是什么呢？

将两种不同的品种组合出的新品种，称为混合品种。

植物学中说的"混合品种"，指的就是"杂交品种"。但对咖啡来说，混合品种通常指阿拉比卡种和其他品种杂交而得的品种（参照Q84 的表格）。为什么人们会想让阿拉比卡种与卡内弗拉种进行杂交呢？因为卡内弗拉种易于生长，而阿拉比卡种抗病害能力弱，杂交可以改善阿拉比卡种的不良属性。

咖啡杂交的培育方法与其他植物差不多，是在阿拉比卡种的雌蕊中放上其他品种的花粉。但是，说起来容易，做起来就不简单了。因为阿拉比卡种与卡内弗拉种的染色体数目不同，两者结合后不会产生后代。

直到在蒂姆岛上发现混合品种蒂姆（Timor）后，人们才解决了这个难题。混合品种蒂姆，是阿拉比卡种和突变后与阿拉比卡种染色体数相同的卡内弗拉种杂交而成的，它兼有卡内弗拉种易于生长的特质，之后，再将它和各地的阿拉比卡种杂交，产出不同亚种的蒂姆咖啡树种。将混合品种蒂姆与卡杜拉杂交，便产生了有名的卡蒂莫（Catimor）、哥伦比亚（Colombia）咖啡树种。

在印度发现了阿拉比卡与利比里亚种（Liberica）杂交产生的品种S288。再用S288与肯特（Kent）杂交后，便产生了S795。这是印度以及印度尼西亚主要栽种的品种。

另一种培植混合物种的方法，是利用生物碱人为地改变卡内弗拉种的染色体个数，之后再将其与阿拉比卡种进行杂交。巴西生产的混合品种伊卡图（Icatu）就是将药物处理过的卡内弗拉种与阿拉比卡种进行杂交应用的起点。虽然说，用药物处理的物种可能存在很多未知的问题，不过在日常生活中，我们确实享受着这种技术带来的诸多好处。比如无籽葡萄、无籽西瓜等。

最初人们培育混合品种的目的是为了提高抗病害能力，近几年，由于消费国对咖啡豆的味道越来越重视，所以现在很多混合品种的产生，不仅是为了方便栽种，更多考虑的是口味。

混合品种

Q 87 咖啡还是传统品种的味道更好吧？

近来，关于咖啡品种的话题谈得越来越多了，身边的人们对铁皮卡、波旁等成名已久的品种评价非常高。人们如此热衷于咖啡，渴望了解咖啡的知识，我觉得是非常难得的。不过我也认为，太信仰咖啡品种论，可能会得"传统品种依赖症"哦。

对于销售咖啡的人来说，我希望他们不要只顾商业利益，最好也能给消费者传达一些咖啡的正确信息。对于购买者，我希望大家能够提升自身对信息的判断力。

因为工作的关系，我去过很多咖啡的产地，调查那里的咖啡品质。我收到过来自不同产地的各种咖啡豆，用科学的方法对其进行分析和评价。一句话概括，我认为咖啡的品种只是保证咖啡质量的要素之一，土壤、海拔等地理条件，降水量、气温等气候条件，收获后的精选工程，都对咖啡的品质有一定的影响。如果无视这些因素，只一味地追求品种，那就大错特错了。

即使地理条件、气候条件、精选方法完全一样，不同品种需要的种植条件也不一样。为了生产出味道好的咖啡豆，我们需要栽种符合土壤条件的品种，不能一律都栽种铁皮卡或波旁。

患了"传统品种依赖症"的人，往往会拒绝改良品种的咖啡豆，他们反感所有阿拉比卡种与卡内弗拉种杂交的混合品种。的确，开发混合品种的目的，是为了增强抗病能力、提高产量，而并非是对味道的改良，但即便如此，也不能说混合品种的味道就不好呀。

不要因为品种论，就影响了你对咖啡豆味道的客观评价。在咖啡的世界里，存在着很多味道不好的铁皮卡品种与味道好的混合品种。原本味道很好的咖啡，因为品种的原因，就被不公正地评价为"味道不好"，这是非常令人遗憾的。这样做，既是对金钱的浪费，也是对咖啡的浪费。

参考文献

石胁智广著 《咖啡检定教本》 全日本咖啡商工组合联合会 2006 年

中林敏郎著 《烘焙咖啡豆的化学与技术》 弘学出版 1995 年

J.N. 维根斯（J.N.Wintgens），《咖啡：种植，加工，可持续产品》（Coffee:Growing,Processing,Sustainable Production），威利化学出版社（WILEY-VCH），2004

R.J. 克拉克和 R. 麦考雷（R.J.Clarke and R.Macrae），《咖啡第 1 卷，化学》（Coffee Vol.1,Chemistry），爱思唯尔应用科学出版社（Elsevier Applied Science Publishers），1985

R.J. 克拉克和 O.G. 维茨图姆（R.J.Clarke and O.G.Vitzthum），《当代咖啡发展》（Coffee Recent Developments），《布莱克威尔科学》期刊（Blackwell Science），2001

A.Illy 和 R. 维亚尼（A.Illy and R.Viani），《意式咖啡：有关品质的化学》（Espresso Coffee:The Chemistry of Quality），学术出版社（ACADEMIC PRESS），1995

A.Illy 和 R. 维亚尼（A.Illy and R.Viani），《意式咖啡（第 2 版）：有关品质的科学》（Espresso Coffee(2nd edition):The Science of Quality），学术出版社（ACADEMIC PRESS），2005

后记

　　看到这里，不知道这本书能否有幸成为你在咖啡世界中旅行的指南手册呢？"科学"是一个非常有趣的"罗盘"，我努力地想成为一个很好的向导，把咖啡的趣味性传递给你，希望这本书能给你带来帮助。在成书过程中，我也遇到一些表达不是很到位的地方，有机会的话，下次一定会给你做一些更详尽的说明。关于咖啡的乐趣，以及咖啡深奥的内涵，我还有很多很多的内容想和你分享。这次就先到这里吧。

　　我要对一直给予我鼓励的、素有"咖啡巴赫"之称的田口护先生，辻静雄料理教育研究所的山内秀文先生，帮我补充很多咖啡知识的研究员兼兄长川岛良彰先生以及帮这本书绘上生动活泼的插图的川口澄子女士，表示最诚挚的感谢。

　　另外，还要向一直给予大力支持的石光商事株式会社以及一起工作的同事和家人们表示深深的感谢。

石胁智广

名词解释

咖啡果

咖啡树的果实。

生豆

从收获的咖啡果中取出种子，将其晒干。向国外出口前，还要对种子的规格进行筛选。

咖啡豆

指生豆烘焙后的状态或烘焙后将其磨成粉的状态。是所谓的"传统咖啡"。

黏质物

内果皮表层覆盖的一层黏性物质。因为有黏性，所以不处理掉会比较麻烦。精选时会将其做干燥处理（非水洗式、半水洗式），或直接处理（水洗式），不管怎样，这层黏质物都要去掉。由于不溶于水，所以要借助酵素或微生物的力量将其发酵分解，再用水冲掉或强行剥掉。

内果皮

覆盖在生豆或种子表层的薄薄软壳。覆盖着内果皮的生豆被称为"羊皮纸咖啡豆"。

熟度

咖啡果从又青又小的未成熟状态（未成熟果实）逐渐长成又大又成熟的状态（全熟果实），最后发展成为熟透的状态（过熟果实），这种成熟的程度被称为熟度。越接近成熟的状态，熟度就越高。从不同熟度的果实中取出的种子，也被相应地称为未成熟豆、全熟豆、过熟豆。一般情况下，生豆就是这些不同成熟度的种子的混合物。

每一批次（加工单位）中全熟豆的比例，也被称为熟度。

精选

将种子从咖啡果中取出，干燥后制成生豆，并且一直加工到出口状态，这个连续的生产过程被称为精选。精选的第一步是将咖啡果加工成生豆，本书中称为"精制"；第二步是对生豆进行筛选，本书中称为"分选"。

精制

将种子从咖啡果中取出、干燥，再加工成生豆的生产过程，就是精制。方法有水洗式、非水洗式、半水洗式、苏门答腊式。

水洗式

用专门的咖啡果碎浆机剥掉果肉，去除黏质物并对羊皮纸咖啡豆进行干燥的精制方法，叫作水洗式。某些类型的碎浆机还有筛除未成熟果的功能。

非水洗式

将咖啡果烘干后再进行加工的精制方法，叫作非水洗式。这种方法简单，而且能加工出水洗式所没有的风味。

半水洗式

用碎浆机剥掉果肉，将有黏质物的羊皮纸咖啡豆进行烘干的精制方法，叫作半水洗式。也有人将这种方法称为"Semi washed"，意思是在水洗式中强行将黏质物去掉。为了避免读者概念模糊，本书并没有太多提及。

苏门答腊式

在生豆水分还很多的时候，将一直到内果皮的部分都剥掉再进行干燥的精制方法，叫作苏门答腊式。由于是在水分很多的状态下剥离果皮，所以加工好的生豆是深绿色。

脱壳

将果壳剥掉、取出种子的过程，叫作脱壳。在用非水洗式加工时，果壳指的就是烘干了的果皮、果肉、黏质物、内果皮这几部分的总和。在用其他精制方法时，果壳指的仅仅是内果皮（如果是用半水洗式的精制方法，内果皮表面还会有干燥的黏质物附着）的部分。以上这些情况，都是"脱壳"。

分选

将生豆按尺寸进行筛选，将有"缺陷"的生豆去掉，并将其一直加工到出口规格。

脂质

咖啡豆中含有"油脂"或"蜡"。脂质，就是指不溶于水而溶于有机溶媒的物质，是咖啡豆的主要成分之一。

氨基酸

是由氨基和羧基构成的物质的总称，是构成咖啡香味、颜色、苦味的来源。

蛋白质

由成百上千的氨基酸组成。蛋白质是咖啡豆的主要成分之一，它构成了咖啡豆的主体。咖啡豆中的蛋白质溶于水后，会赋予咖啡浓厚的口感。酵素也是蛋白质，生豆中含可以分解黏质物、脂肪的酵素。

低聚糖类

指单糖（葡萄糖等）或数个单糖结合成的糖类（砂糖）等，它是咖啡酸味、香味、颜色、苦味的来源之一。

多糖类

是由数十个以上的单糖构成的糖类。它是咖啡豆中含量最多的成分，也是构成咖啡豆主体的成分。咖啡豆中的多糖类溶于水后，会赋予咖啡浓厚的口感。

绿原酸类

是咖啡酸与奎宁酸按照 1:1 结合而成的绿原酸及其类似物质的总称。从构造上来说，它被称为咖啡多酚，从性质上来说，它又被称为咖啡丹宁酸。绿原酸类是咖啡酸味、香味、颜色、苦味的来源之一。

美拉德反应

糖类与氨基酸遇热后呈褐色化的反应。咖啡豆的褐色化反应要复杂些，它与糖类受热焦糖化或生成绿原酸类有关。发生美拉德反应时，会逐渐形成咖啡的香味。不同的糖类、氨基酸以及含量的多少，用什么温度进行加热，都会影响咖啡的香味。

焦糖化

糖类遇热发生的褐色化反应。

气体阻隔性

包材（包装材料）对气体阻隔的性质。比如气球会逐渐变瘪，是因为橡胶类材质的气体阻隔性低。如果想长时间保存咖啡，就要选择能去掉导致咖啡劣化的氧气和水蒸气、气体阻隔性高的包装。

气阀

为了让气体排到外面，就要在包材上安装气阀。烘焙后的咖啡豆中富含大量二氧化碳，可以通过气阀一点点地排放到包装外面。将释放出的二氧化碳去除的手法叫"去气"（degas），在包材上安装气阀就是"去气"的方法之一。市面上销售的气阀种类很多，有些气阀的耐久性较差，还有些不是"单向"的，因此要结合设定的保质期，选择合适的气阀。

湿度

咖啡豆的含水量会随周围湿度的变化而变化。含水量在 12% 的生豆，相当于空气中的湿度在 60%~70%。如果周围的湿度高于这个数值，生豆就会吸收空气水分，含水量就会增加；反之，如果周围的湿度低于这个数值，生豆中的水分就会减少，含水量也会下降。烘焙豆的含水量，最多相当于空气湿度在 30% 的程度，所以，除非在特殊环境中，否则烘焙豆一般都会吸收空气中的水分。

直火式·半热风式

按照烘焙机构造进行分类（恐怕只有日本这样分）。在对滚筒状的烘焙室（放入咖啡豆的地方）直接加热的烘焙机中，滚筒壁有孔的是直火式，滚筒壁无孔的是半热风式。半热风式烘焙室的后方（取出咖啡豆的反方向）有一个能吸入少量热流的装置，但效果并不显著。

导热

如果物体间有温差，温度就会由高的一方传到低的一方，这种现象叫作导热。导热的方式有三种。第一种是固体间的导热，烘焙机的原理就是通过咖啡豆与烘焙室接触的点来传递热量，热量会从咖啡豆的表层传递到中心；第二种是气体或液体通过"对流"导热，加热的空气通过"对流"将热量传给咖啡豆；第三种是"辐射"，辐射是通过红外线来导热，热源的材质不同，红外线的能量也不同，因此受红外线影响的物体的升温方式也不同。陶瓷热源的直火式烘焙机可以利用能量小的远红外线来加热物体。炭火热源的直火式烘焙机不仅可以利用远红外线，也可以利用能量更大的近红外线来加热物体。

温度曲线

用图表来表现不同时间相应的温度变化，这是烘焙中咖啡豆升温方式的参考标准。即使用相同的生豆烘焙到相同的颜色，如果温度曲线不一样，咖啡豆的风味也会不一样。

烘焙度

表示加热程度的指标。大致可分为"轻度烘焙""中度烘焙""深度烘焙"几类。一般情况下将其分为"轻度烘焙、肉桂式烘焙、中度烘焙、中深度烘焙、城市烘焙、全城烘焙、法式烘焙、意大利式烘焙"等八个阶段。如果想用具体数值来表示烘焙程度，烘焙时就可以用咖啡豆质量的减少量来表示，或用机器来测量烘焙豆的颜色。一般人们会用色差计测量烘焙豆的明亮度，咖啡业界将这个数值称为"L值"。

害虫

咖啡树的害虫，有钻入咖啡果内啃食种子的咖啡果小蠹（Berry borer）、破坏根系的线虫等。

病害

咖啡树的病害，包括破坏树叶导致树木枯萎的锈病、破坏根系导致根部枯萎的凋萎病和破坏咖啡果使产量下降的 CBD（Coffee Berry Disease）病等。

死豆

死豆在烘焙时的着色和正常咖啡豆明显不同，因为死豆中缺少生豆着色时必需的成分。

瑕疵

外观异常的生豆以及石头等异物的总称。大多数瑕疵会在精选过程中被筛除掉，很多咖啡生产国都在出口规格中规定了瑕疵数量（对瑕疵用数值管理）。

快读·正能量生活馆 ™

《你不懂葡萄酒》

有料、有趣、还有范儿的葡萄酒知识百科

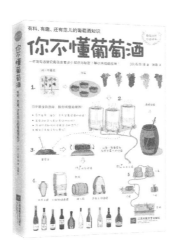

醒酒究竟有没有必要呢？居然能用"猫尿"来形容葡萄酒的味道？品酒时该如何形容葡萄酒的香气？葡萄酒的年份真的是绝对的吗？一杯葡萄酒里究竟蕴含着多少知识与秘密？

日本一流侍酒师，教你喝懂葡萄酒！本书严选 10 种世界知名的葡萄品种，配上丰富手绘插图，介绍这 10 种葡萄的历史背景、产区、味道、个性，以及酿成葡萄酒后的风味特色、佐餐方式以及侍酒法等，带你探索香醇甜美的葡萄酒世界。

翻开本书，细细品读，你将更加懂得葡萄酒的乐趣与美好。

《你不懂面包》

有料、有趣、还有范儿的面包知识百科

怎么吃面包？不就是拿起来，大口大口地嚼？如果你这么想，那就太小看面包的世界了！

吐司面包，应该根据不同的厚度，搭配不同的食材或熟食，做成好吃的单片三明治；法国面包"凉了"的时候最好吃；黑麦面包应根据黑麦的比例搭配食物；而贝果面包、布里欧修面包最适合当作甜食点心了。

早餐、便当、晚餐、点心、下酒菜，面包还可以摇身一变，成为宴客级的豪华料理。而世界各地面包千奇百怪，自然与当地美食搭配最为得当。

日本面包推广协会，教你从零开始认识面包！超过 70 种面包种类 & 花样吃法，让你不仅能再次发现日常面包的美味，使平常吃的面包变得更好吃，还能适时适所适当地选择、制作面包！

根据个人喜好、食用情景，选择不同的面包和吃法，享受丰富的面包生活，这才是面包的最大魅力！

快读·正能量生活馆 ™

《暖暖的女人不生病》

医学博士专门写给千万女人的"暖活"方案

　　手脚易凉、经常感冒、肤色暗沉、腿脚肿胀、发胖、痛经甚至不孕等一系列症状，是女人健康和美丽的头号潜敌！而身体会有这些症状的原因就在于你的身体"不暖"！

　　请大家用常用手的手心摸一摸后脖颈。是不是感觉"很舒服"？请大家再依次摸一摸"上臂的后侧""膝盖后侧"与"脚踝"。如果摸了之后觉得"温温的，很舒服"，那就说明你"不暖"，是寒性体质。

　　《暖暖的女人不生病》是国内首部引进的寒性体质主题权威著作，由日本医学博士福田千晶融汇二十多年专业经验，从饮食、穿着、生活习惯和体操按摩等四个生活基本面，为现代都市女性量身定制的一整套全面、细致的超级"暖活"方案，并配上生动有趣的手绘插图，让你一看就懂，轻松照做。她在书中指出，只要在日常生活细节中做出一点点改变，就能有效驱寒，让身体从内到外时刻处于温暖的状态。

　　翻开本书，从此告别寒性体质，做暖暖的健康、美丽女人。

快读·正能量生活馆™

　　节奏越快，生活越忙，越需要正能量。正能量是一种人生态度，也是一种可践行的生活方式。

　　快读·正能量生活馆™，是一套致力于提供全球最新、最智慧、最让人感动的生活方式提案丛书。从冥想到美食，从心理自助到人际沟通，贯穿现代都市生活的方方面面，贯彻易懂、易学、易行的阅读原则，让您的生活变得更加丰盛，心灵更加积极，人生更加强大。